TEACHER'S MANUAL AND KEY

SECOND EDITION

SPANISH IS FUN

Book 2

Heywood Wald, Ph.D.
Lori Langer de Ramírez, Ed.D.

AMSCO SCHOOL PUBLICATIONS, INC.
315 Hudson Street, New York, N.Y. 10013

Audio Program

The Audio Program comprises five CDs (compact discs). The voices are those of native speakers of Spanish.

Each of the twenty-one lessons in the textbook includes the following materials:

Oral exercises in four-phased sequences: cue / pause for student response / correct response by native speaker / and pause for student repetition.

The narrative or playlet at normal listening speed.

Questions based on the narrative or playlet in four-phased sequences.

The dialog with model responses at normal speed, then again by phrases with pauses for student repetition.

The Audio Program (Ordering Code N 325 CD) is available separately from the publisher. A complete Audio Script is included.

When ordering this book, please specify either
R 325 T or Spanish Is Fun Book 2, Second Edition, Teacher's Manual

Please visit our Web site at
http://www.amscopub.com

ISBN: 1-56765-802-4

Copyright © 2006 by Amsco School Publications, Inc.

No part of this book may be reproduced in any form without written permission from the publisher.

Printed in the United States of America

05 06 07 08 09 10   6 5 4 3 2 1

Contents

Review Exercises
of Level I

A.
1. un
2. del
3. el
4. Los
5. La
6. una
7. a la
8. una
9. la
10. unos
11. de las
12. Los
13. las
14. al
15. unas

B.
1. Mi mamá no prepara la comida.
2. Carlos no es un amigo de la familia.
3. Los abuelos no son viejos.
4. No quiero comprar un periódico.
5. El dormitorio no tiene dos camas.

1. ¿Contesta bien el alumno?
2. ¿Habla usted francés?
3. ¿Comprendes tú la lección?
4. ¿Es azul la bandera?
5. ¿Viven ellos en Puerto Rico?

C.
1. Yo
2. Nosotras
3. Ella
4. Ellas
5. Usted
6. Nosotros
7. nosotros
8. Ellos
9. Ustedes
10. tú

D. **-AR** Verbs
1. visito
2. entras
3. miran
4. practica
5. escuchamos

-ER Verbs
1. Aprende
2. beben
3. Come
4. respondo
5. Vendes

-IR Verbs
1. Escriben
2. vive
3. abrimos
4. recibe
5. descubren

E. **-AR** Verbs
1. visité
2. entraste
3. miraron
4. practicó
5. escuchamos

-ER Verbs
1. Aprendió
2. bebieron
3. Comió
4. respondí
5. Vendiste

-IR Verbs
1. Escribieron
2. vivió
3. abrimos
4. recibió
5. descubrieron

F.
1. tengo
2. vamos
3. Quiere
4. digo
5. da
6. hacen
7. pongo
8. sabe
9. sales
10. traigo
11. es
12. estoy
13. tiene
14. voy
15. dicen
16. doy
17. es
18. estás
19. salgo
20. sé

G.
1. es
2. soy
3. están
4. son
5. está
6. eres
7. está
8. estoy
9. son
10. somos

H.
1. cincuenta
2. doce
3. siete
4. sesenta
5. veinticuatro
6. cien
7. treinta
8. setenta
9. once
10. cuarenta

I.
1. una
2. dos y media
3. doce / a medianoche
4. tres y cuarto (quince) de la tarde
5. diez de la noche
6. una y media de la tarde
7. siete menos cuarto / seis y cuarenta y cinco de la mañana
8. cuatro y veinte
9. ocho de la noche
10. mediodía

J.
1. qué tiempo hace hoy
2. hace viento
3. hace sol
4. Hace frío
5. hace fresco
6. hace calor
7. Nieva
8. llueve
9. hace buen tiempo
10. hace mal tiempo

K.
1. populares
2. difíciles
3. altas
4. joven
5. tropicales
6. Blanca
7. pequeños
8. inteligentes
9. española
10. viejos

L.
1. este
2. esa
3. estas
4. esos
5. esta
6. ese
7. estas
8. esas
9. esta
10. ese

M.
1. mi
2. tu
3. su
4. su
5. su
6. nuestro
7. mis
8. nuestras
9. su
10. sus

N.
1. Me gustan
2. Me gusta
3. Te gusta
4. Le gusta
5. Le gusta
6. Nos gustan
7. Nos gusta
8. Les gusta
9. Les gusta
10. Le gustan

O.
1. cerca de
2. alrededor del
3. debajo del
4. enfrente de / frente a
5. detrás del
6. en
7. encima del / sobre
8. lejos de
9. frente a
10. por la

Primera Parte
Lección 1

Optional Oral Exercises

A. Repeat each noun with the definite article.

1. gusano
2. árbol
3. cielo
4. hierba
5. saltamontes
6. pájaro
7. culebra
8. flor
9. nube
10. lago

KEY

1. el gusano
2. el árbol
3. el cielo
4. la hierba
5. el saltamontes
6. el pájaro
7. la culebra
8. la flor
9. la nube
10. el lago

B. Form a complete sentence by adding an adjective to describe each word.

EXAMPLE: árbol **El árbol es alto.**

1. el campo
2. el árbol
3. el cielo
4. la hormiga
5. el saltamontes
6. el pájaro
7. la culebra
8. la rana
9. la nube
10. el lago

KEY (Sample responses)

1. El campo es grande.
2. El árbol es alto.
3. El cielo es azul.
4. La hormiga es pequeña.
5. El saltamontes es verde.
6. El pájaro es lindo.
7. La culebra es larga.
8. La rana es energética.
9. La nube es blanca.
10. El lago es ancho.

C. Guess which object is being described.

1. Tienen muchos colores y vuelan.
2. Están en el cielo y parecen algodón.
3. Son altos y tienen hojas.
4. Son amarillas y negras y vuelan.
5. Son negras y comen insectos.
6. Vuelan y tienen plumas.
7. Tienen ocho patas.
8. Las vacas la comen.
9. Tiene agua pero no es el mar.
10. Es azul cuando hace buen tiempo.

KEY

1. las mariposas
2. las nubes
3. los árboles
4. las abejas
5. las hormigas
6. los pájaros
7. las arañas
8. la hierba
9. el lago
10. el cielo

Key to Actividades

A. (Sample response)

En Villa Hermosa la vida es buena. Venga a pasar sus vacaciones aquí, donde disfrutará *de un lago tranquilo, los árboles altos y verdes, y un río hermoso. En el campo Ud. puede disfrutar de toda la naturaleza. Tenemos diez variedades de pájaros, muchas mariposas diferentes, y muchas plantas exóticas. Venga a Villa Hermosa, donde el cielo es azul, la hierba es verde y suave, y ¡sus días serán largos y alegres!*

B.
1. Baldomero Bocagrande es el maestro de ceremonias de un programa de televisión.
2. El programa "¿Conoce Ud. A su marido?" es un concurso.
3. María tiene que contestar diez preguntas.
4. Los concursantes pueden ganar hasta mil dólares.
5. Al marido de María le gusta e campo porque le gusta la naturaleza.
6. El parque favorito de los López es el Parque Bolívar.
7. El Parque Bolívar queda en el centro.
8. Salen a comer afuera los fines de semana.
9. Después de comer en el restaurante van a casa.
10. Manuel López es el esposo de la otra concursante.

C.
1.	Cuáles	6.	Qué
2.	Cuál	7.	Cuál
3.	Qué	8.	qué
4.	Cuál	9.	Qué
5.	Cuáles	10.	Cuáles

D.
1.	Cuántas	6.	Adónde
2.	Cuál	7.	Cuántas
3.	Qué	8.	Por qué
4.	Cómo	9.	Cuándo
5.	Dónde	10.	Quién

E.
1.	Quién	6.	Cuándo
2.	Adónde	7.	Cuántos
3.	Por qué	8.	Quiénes
4.	Cuánto	9.	Cuál
5.	Qué	10.	Dónde

F. (Sample responses)
1. En mi casa, mi papá prepara la comida.
2. Mis actores favoritos son Julio Alemán y Salvador Pineda.
3. La casa donde vivo es de mis padres.
4. En las vacaciones quiero visitar a mis primos.
5. Voy a invitar a mis amigos a mi fiesta de cumpleaños.
6. Soy amigo de Antonio en mi clase.

G.
1.	sé	6.	Conoce
2.	Conocen	7.	Saben
3.	Sabe	8.	sé
4.	sé	9.	conocemos
5.	conozco	10.	Sabes

Preguntas Personales (Sample responses)

1. Mi programa de televisión favorito es «El Show de las 12:00» porque es muy interesante.
2. Voy al cine todos los viernes.
3. Me gusta la comida mexicana.
4. Mis restaurantes preferidos son los italianos.
5. Cuando hace calor, voy a la playa.

Información Personal (Sample responses)

1. ¿Qué te gusta hacer los fines de semana?
2. ¿Cuál es tu color favorito?
3. ¿Te gustan las mascotas?
4. ¿Cuándo es tu cumpleaños?
5. ¿Dónde vive tu familia?

Diálogo

¿Cómo se llama Ud.?
¿Cuántos años tiene?
¿Cuál es su dirección?
¿Dónde trabaja Ud.?
¿De quién es la oficina?
¿Adónde va los fines de semana?
¿Por qué?
¿Cuándo regresa?

Para pensar (Sample responses)

1. Hormigas, sisapas y saltamontes.
2. Los insectos contienen proteínas, vitaminas y minerales.
3. Los crustáceos son una especie de animales, por ejemplo, la langosta y el cangrejo.
4. En realidad, no hay mucha diferencia.
5. No, mientras haya otros alimentos.

Key to *Cuaderno* Exercises

A. (Sample response)
Hoy vimos muchas plantas nuevas. También vi una rana de muchos colores y un pájaro muy lindo. Mi animal favorito fue una culebra muy larga. Después del almuerzo, fuimos al lago para nadar. ¡Me gustó mucho!

B.
1. Qué
2. Cuál
3. Cuáles
4. Qué
5. Cuál
6. Qué
7. Cuál
8. Cuáles
9. Qué
10. Cuál

C.
1. Me gusta más el mar porque hay olas grandes.
2. La araña me parece más interesante porque tiene ocho patas.
3. Las flores me parecen más bonitas porque son más coloridas.
4. Para descansar la hierba es más cómoda porque es más blandita.
5. Si pudiera ser un animal me gustaría ser un pájaro, para poder volar.

D.
1. Cuál
2. Qué
3. Cuándo
4. Dónde
5. Quién
6. Cómo
7. Quiénes
8. Cuáles
9. Por qué
10. Adónde

E. ¿A quién vas a invitar?
Voy a invitar a todos mis amigos de la escuela.

¿De quién es este regalo?
Es de tu mejor amigo. ¿Te gusta?
¿De quién es esa invitación?
Es de Manuel. Él no puede venir a la fiesta.
¿Quién va a organizar las actividades?
Jorge piensa organizar unos juegos.
¿De quién es la musica que vas a tocar?
Es de un grupo nuevo.

F. ¡S A B E R es creer!

sé   conoce
sabemos   conocer
saben

Quiz 1

A. Write the Spanish article for each noun.

1. _____ pájaro
2. _____ gusano
3. _____ saltamontes
4. _____ lago
5. _____ árbol
6. _____ mosca
7. _____ flor
8. _____ nubes
9. _____ río
10. _____ hormiga

B. Fill in the space with the correct form of *saber* or *conocer*.

1. Yo _____ que las mariposas vuelan.
2. Ella _____ a Carlos.
3. Yo _____ que el cielo es azul.
4. Los pájaros _____ volar.
5. ¿Tú _____ el campo?

Key to Quiz 1

A.
1. el
2. el
3. el
4. el
5. el
6. la
7. la
8. las
9. el
10. la

B.
1. sé
2. sabe
3. Sé
4. saben
5. conoces

Lección 2

Optional Oral Exercises

A. Change to the plural.
1. el faro
2. el salvavidas
3. la manta
4. el esquí acuático
5. la ola
6. el colchón flotante de aire
7. la sombrilla de playa
8. la silla de playa
9. el castillo de arena
10. la toalla de playa

KEY

1. los faros
2. los salvavidas
3. las mantas
4. los esquíes acuáticos
5. las olas
6. los colchones flotantes de aire
7. las sombrillas de playa
8. las sillas de playa
9. los castillos de arena
10. las toallas de playa

B. Answer each question by using *mi* or *mis*.
1. ¿Es tu traje de baño?
2. ¿Es tu frisbee?
3. ¿Son tus gafas?
4. ¿Es tu manta?
5. ¿Son tus cubos?
6. ¿Son tus palas?
7. ¿Son tus tubos?
8. ¿Son tus conchas?
9. ¿Es tu tabla?
10. ¿Es tu toalla?

KEY

1. Es mi traje de baño.
2. Es mi frisbee.
3. Son mis gafas.
4. Es mi manta.
5. Son mis cubos.
6. Son mis palas.
7. Son mis tubos.
8. Son mis conchas.
9. Es mi tabla.
10. Es mi toalla.

Key to Actividades

A.

la toalla de playa	la silla de playa
las gafas de sol	la pala
el salvavides	el faro

B. (Sample response)
Una señora esta sentada en una silla de playa y lee un libro. Dos niños construyen un castillo de arena con cubos y palas. Un muchacho y una muchacha toman el sol tranquilamente. Tres muchachos juegan en el mar

y descubren un tiburón muy grande cerca de la playa.

Section 2

querer	poder
quiero	puedo
quieres	puedes
quiere	puede
queremos	podemos
quieren	pueden

Section 3

perder	mentir
pierdo	miento
pierdes	mientes
pierde	miente
perdemos	mentimos
pierden	mienten

volver	dormir
vuelvo	duermo
vuelves	duermes
vuelve	duerme
volvemos	dormimos
vuelven	duermen

C. 1. prefiero
2. prefieres
3. prefieren
4. preferimos
5. prefieren
6. prefiere

D. 1. Carlos encuentra un periódico.
2. Yo encuentro un cubo.
3. Ud. encuentra una toalla.
4. Uds. encuentran unas gafas de sol.
5. Nosotros encontramos loción bronceadora.
6. Tú encuentras una pala.

E. 1. Todos nosotros defendemos el país.
2. Mis padres no mienten.
3. Los leones duermen todo el día.
4. Yo juego en la playa.
5. Ud. no encuentra el traje de baño.
6. ¿Uds. entienden la lección?
7. María cierra la puerta.
8. ¿Qué prefieres tú?
9. Las mariposas vuelan por el aire.

F. (Sample responses)

1. juegan
Nosotros jugamos béisbol.

2. quieren
Ellos quieren ir al campo.

3. prefiere
Yo prefiero ir a España.

4. piensas
Yo pienso pasar las vacaciones en el campo.

5. almuerzan
Ellas almuerzan a la una.

6. duermo
No, tú no duermes mucho.

7. podemos
Nosotros podemos viajar a una isla tropical.

8. encuentra
Sí, él encuentra información sobre excursiones.

9. cuesta
Un billete cuesta cien dólares.

10. vuelves
Yo vuelvo el quince de julio.

G. (Sample responses)

1. ¿Dónde almuerzan los estudiantes?
almuerzan

2. ¿Qué haces?
   empiezo

3. ¿Adónde van?
   volvemos

4. ¿Qué hace tu abuelo?
   duerme

5. ¿Qué encontraron?
   encontramos

6. ¿Qué pasó?
   pierden

7. ¿Qué hacen ellas?
   cierran

H. (Sample responses)
1. La isla es un desierto.
2. Un chico y una chica están en la playa con su perro.
3. Caminan en la playa.
4. Piensa que es un paraíso.
5. El chico piensa que la isla tiene mucha historia.
6. Según la chica hay tesoros debajo de la arena.
7. La chica encuentra una botella en la arena.
8. Dentro de la botella hay un mapa.
9. Debajo de la palmera hay una piedra grande.
10. En mi opinión, los dos jóvenes encuentran joyas.

I.
1.	pido	4.	pedimos
2.	pide	5.	pides
3.	piden	6.	piden

J.
1.	ríe	4.	seguimos
2.	sonríes	5.	repiten
3.	sirvo	6.	piden

K.
1.	quiere	7.	encuentran
2.	duerme	8.	entiendo
3.	enciende	9.	repite
4.	pido	10.	pienso, nieva
5.	prefiere	11.	sonríes
6.	pierdes	12.	siguen

L.
1.	entiendo	6.	pedimos
2.	cuesta	7.	cierran
3.	dormimos	8.	Llueve
4.	quiere	9.	prefieren
5.	sirven	10.	vuelve

Diálogo (Sample responses)

Yo también. Me encanta la playa.
Prefiero ir a una playa del Atlántico.
Cuesta un peso.
Claro. Voy a preparen varios tipos.
Vamos a las nueve de la mañana para llegar temprano.

Preguntas Personales (Sample responses)

1. En la playa, yo descanso en la arena.
2. Vivo cerca de la playa de Coney Island.
3. No leo libros sobre piratas. Prefiero los libros románticos.
4. Puedo encontrar tesoros en la playa.
5. Hablan español en Puerto Rico, la República Dominicana, y en Cuba.

Información Personal (Sample responses)

1. Hay un banco debajo del árbol.
2. Al lado del banco hay una cesta de basura.
3. Detrás de la cesta, hay una botella.
4. Dentro de la botella, hay un mapa.
5. En el mapa, ¡hay más información!

Para pensar (Sample responses)

1. La costa de la Península Ibérica tiene más de 1698 millas, más de 2000 playas y 200 balnearios.
2. Las costas son secciones o territorios. Los españoles las han creado para identificar con precisión la localidad de cada área.
3. Hay siete costas en España: La Costa Brava, La Costa Dorada, La Costa del Azahar, La Costa Blanca, La Costa del Sol, La Costa de la Luz y La Costa Verde.
4. La Coast Watch examinan los desperdicios dejados en las playas españolas.
5. Contaminación del agua, de la tierra, deforestación, programas de información, educación, etc.

Key to *Cuaderno* Exercises

A.

1. TÚ: Trae una silla de playa.
   TU AMIGO: ¿Para qué una silla de playa?
   TÚ: Para sentarse en la arena.
2. TÚ: Trae unos esquíes acuáticos.
   TU AMIGO: ¿Para qué unos esquíes acuáticos?
   TÚ: Para esquiar en el agua.
3. TÚ: Trae una toalla de playa.
   TU AMIGO: ¿Para qué una toalla de playa?
   TÚ: Para descansar y tomar el sol.
4. TÚ: Trae unas gafas de sol.
   TU AMIGO: ¿Para qué unas gafas de sol?
   TÚ: Para poder ver bien.
5. TÚ: Trae un cubo y una pala.
   TU AMIGO: ¿Para qué una cubo y una pala?
   TÚ: Para hacer castillos de arena.
6. TÚ: Trae un una sombrilla de playa.
   TU AMIGO: Para qué una sombrilla de playa?
   TÚ: Para no quemarse del sol.
7. TÚ: Trae un traje de baño.
   TU AMIGO: ¿Para qué un traje de baño?
   TÚ: Para poder nadar en el mar.
8. TÚ: Trae un frisbee.
   TU AMIGO: ¿Para qué un frisbee?
   TÚ: Para jugar con los amigos.

B. (Sample responses)

1. No, no puedo manejar un esquí acuático.
2. Sí, quiero aprender a esquiar en el agua.
3. Queremos sentarnos en una silla.
4. Sí. Podemos jugar al frisbee.
5. No, ella no quiere construir un castillo de arena.
6. Sí, puedo prestare mis gafas de sol.
7. Sí, quieren sentarse debajo de la palmera.
8. Sí, queremos usar la loción bronceadora.
9. No, no quiero buscar conchas.
10. Sí, queremos visitar el faro.

C.

1.	duerme	6.	pierdes
2.	almuerzan	7.	encuentra
3.	pienso	8.	empieza
4.	miente	9.	preferimos
5.	vuelven	10.	mueve

D. (Sample responses)
Los muchachos juegan al fútbol.
La muchacha juega al baloncesto.
Los niños juegan al tenis.
El chico juega videojuegos.

E.

Puedes	sonrío
sigue	pensamos
reímos	perdemos
pienso	repites

Quiz 2

A. Complete each sentence with the correct form of the verb in parentheses.
1. Nosotros _____ a las doce. (almorzar)
2. Ellos _____ después de la clase. (volver)
3. Usted nunca _____. (mentir)
4. Tú _____ mucho, ¿no? (dormir)
5. Yo siempre _____ mi tarea. (perder)
6. Ella _____ que es una mala idea. (pensar)
7. La escuela _____ en el otoño. (empezar)
8. El gato _____ su cola. (mover)
9. Marta y Juan _____ un tesoro en la playa. (encontrar)
10. Él _____ al fútbol todos los días. (jugar)

B. Answer the following questions.
1. ¿Por qué ríes?
2. ¿A quién sirves comida?
3. ¿Qué te hace sonreír?
4. ¿Sigues la carrera de alguna deportista?
5. ¿Qué pides en tu restaurante favorito?

Key to Quiz 2

A.
1. almorzamos
2. vuelven
3. miente
4. duermes
5. pierdo
6. piensa
7. empieza
8. mueve
9. encuentran
10. juega

B. (Sample responses)
1. Río porque mi amigo me cuenta un chiste.
2. Sirvo comida a mi familia de vez en cuando.
3. Mi mejor amiga me hace sonreír.
4. Sigo la carrera de varios deportistas.
5. Pido una hamburguesa.

__ ls
__ le

Lección 3

Optional Oral Exercises

A. Answer these questions in the negative.
1. ¿Quieres un sándwich o una hamburguesa?
2. ¿Conoces a alguna persona famosa?
3. ¿Ves a alguien?
4. ¿Fracasas a veces?
5. ¿Vas a hacer algo divertido?

KEY

1. No quiero ni un sándwich ni una hamburguesa.
2. No, no conozco a ninguna persona famosa.
3. No, no veo a nadie.
4. Nunca fracaso.
5. No, no voy a hacer nada divertido.

B. Guess which jewelry is being described.
1. Indica la hora.
2. Es pequeño y cabe en un dedo. Es verde.
3. Se lleva en el cuello y tiene bolitas blancas.
4. Se lleva en la camisa y es color rojo.
5. Se llevan pone en las orejas y brillan.

KEY

1. un reloj de pulsera
2. un anillo de esmeralda
3. un collar de perlas
4. un broche de rubíes
5. unos aretes de diamantes

Key to Actividades

A.

anillo de diamantes	collar de esmeraldas	aretes de perlas
brazalete de plata	cadena de oro	broche de rubíes

B. (Sample responses)
1. Compro una cadena para mi amigo Juan.
2. Compro una pulsera de oro para mi amiga Carla.
3. Compro un broche de esmeraldas para mi mamá.
4. Compro una sortija de plata para mi hermana Clarita.
5. Compro un reloj de pulsera para mi hermano Miguel.

C. (Sample responses)
1. El mago está sentado delante de un grupo de personas.
2. No puede ver nada porque tiene los ojos cubiertos.
3. El ayudante del mago dice que tiene algo en la mano.
4. El mago piensa un momento antes de contestar.
5. El ayudante tiene una cadena en la mano.
6. La clave del mago consiste en letras con palabras equivalentes.
7. El maestro sabe de memoria la tabla de equivalentes.
8. La primera palabra de cada frase es importante.
9. La palabra «cadena» tiene seis letras.

10.   El ayudante del mago usa seis frases.

D. 1.   Tampoco es pequeño.
2.   Nunca comete un error.
3.   No puede ver nada.
4.   Nunca falla.
5.   No es ni grande ni pesado.

E. 1.   Yo tampoco quiero el collar.
2.   Yo no uso aretes tampoco.
3.   Yo tampoco encuentro el reloj.
4.   Yo no sé hacer magia tampoco.
5.   Yo tampoco puedo ir a la joyería.

F. 1.   Yo nunca trabajo los domingos.
2.   Yo no compro joyas nunca.
3.   Yo jamás tomo el sol.
4.   Yo no digo mentiras jamás.
5.   Yo nunca como afuera.

G. 1.   No me gusta ni el maíz ni el arroz.
2.   No me gusta ni la leche ni el jugo.
3.   No me gusta ni el pollo ni el rosbif.
4.   No me gustan ni los tacos ni las enchiladas.
5.   No me gustan ni las naranjas ni las manzanas.

H. 1.   Yo no veo a nadie.
2.   Yo no escribo nada.
3.   Yo no busco a nadie.
4.   Yo no tomo nada.
5.   Yo no quiero a nadie.

I. (Sample responses)
1.   No hago nada ahora.
2.   No conozco a nadie en México.
3.   No digo nunca la verdad.
4.   No quiero comer nada.
5.   No voy al cine con nadie.
6.   No llamo a nadie por teléfono.

J. 1.   No, no quiero ninguna torta.
2.   No, no quiero ningunos discos.
3.   No, no quiero ninguna fruta.
4.   No, no quiero ningún libro.
5.   No, no quiero ningún plato típico.

K. 1.   No yo no voy a ninguna fiesta.
2.   No yo no sé nada sobre el Paraguay.
3.   No mi hermana nunca va al cine por la noche.
4.   No mis padres no conocen a nadie en España.
5.   No ningún libro vale mil dólares.
6.   No tengo ningunos exámenes los sábados.
7.   No ninguna tienda está abierta hoy.
8.   No, no tengo ningún trabajo para mañana.
9.   No, no quiero comer ni un pastel ni un sándwich.
10.   No, no veo nada interesante en la joyería.

Diálogo (Sample responses)

Es brillante, pequeño y caro.
Cuesta quinientos dólares.
Los mujeres lo usan generalmente.
¡Sí! Es un brazalete de oro.

Preguntas Personales (Sample responses)

1.   A mucha gente le gusta ver las ilusiones porque son interesantes y misteriosas.
2.   Quiere decir que se puede hacer trucos con la mano que de ver.
3.   Prefiero joyas. Prefiero recibir música.
4.   Generalmente, las mujeres usan joyas.
5.   Una chica usa aretes, anillos y pulseras. Un chico puede usar aretes, cadenas y relojes.

Información Personal (Sample responses)

1. divertirme
2. descansar
3. las hamburguesas
4. las papas fritas
5. pescado
6. hígado
7. en la playa
8. en el parque

Composición (Sample response)

KEY

A = u	J = d	S = q
B = a	K = t	T = f
C = r	L = s	U = p
D = y	M = k	V = j
E = z	N = h	W = e
F = c	O = i	X = n
G = x	P = g	Y = l
H = v	Q = m	Z = o
I = w	R = b	

Para pensar (Sample reponses)

1. Mucha gente ha viajado ha tierras desconocidas y peligrosas.
2. Miles de personas fueron a California y a Alaska con la esperanza de encontrar oro.
3. Por su escasez.
4. Es un museo donde se exhiben más de 30,000 piezas de oro.
5. Deforestación y contaminación de la tierra.

Key to Cuaderno Exercises

A.
1. tres anillos de diamante
2. cinco broches
3. seis pulseras
4. un collar de rubí
5. diez collares de perlas
6. siete anillos
7. doce relojes de pulsera

B.
Nadie	Nunca
nada	ni, ni
tampoco	Jamás

C.
1. f
2. c
3. d
4. e
5. a
6. b
7. f
8. b
9. g
10. c

D. (Sample responses)
1. Yo no compro a nadie una pulsera.
2. Tú no llevas un anillo de diamantes tampoco.
3. Nosotros no buscamos ningunos aretes.
4. Ellos nunca prenden su reloj de pulsera.
5. Juan no rompió ni el collar ni la pulsera.
6. Ustedes no van a vender la sortija jamás.
7. Ella no ve ningún prendedor.
8. María perdió algún brazalete.

Quiz 3

A. Fill in the correct negative word.
   1. No quiero ver _____ película.
   2. Ella _____ pierde sus libros.
   3. No voy a invitar a _____ a la fiesta.
   4. No me gustan _____ las zanahorias _____ la lechuga.
   5. _____ me interesa hoy. Estoy de mal humor.

B. Fill in the correct affirmative word.
   1. ¿Quieres ver _____ película?
   2. _____ veces ella pierde sus libros.
   3. Voy a invitar a _____ importante a la fiesta.
   4. Me gustan _____ vegetales.
   5. Mira esa casa. Tiene _____ que me fascina.

Key to Quiz 3

A. **1.** ninguna   **3.** nadie   **5.** Nada
        2. nunca   **4.** ni . . . ni

B. **1.** alguna   **3.** alguien   **5.** algo
        2. Algunas   **4.** algunos

Lección 4

Optional Oral Exercises

A. Name the place where you might do each activity.
1. ir de compras
2. nadar
3. ver una película
4. hacer ejercicio
5. montar a caballo
6. patinar
7. ver una exhibición
8. ver un concierto
9. jugar al fútbol
10. tomar el sol

KEY

1. en una tienda
2. en una piscina
3. en el cine
4. en un gimnasio
5. en el campo
6. en el hileo
7. en el museo
8. en un estadio
9. en el parque
10. en la playa

B. Command your friend to do the following actividades.
1. saltar
2. mirar
3. correr
4. saludar
5. dormir

KEY

1. salta
2. mira
3. corre
4. saluda
5. duerme

C. Command your teacher to do the following things.
1. levantar la mano
2. bajar la mano
3. estudiar
4. abrir la puerta
5. cerrar la ventana

KEY

1. levante la mano
2. baje la mano
3. estudie
4. abra la puerta
5. cierre la ventana

Key to Actividades

A.
1. Vamos a patinar.
2. Vamos a ver una película de horror.
3. Vamos a jugar al fútbol.
4. Vamos a jugar a los bolos.
5. Vamos a visitar un museo.
6. Vamos a nadar en la piscina.

B. (Sample responses)
1. Vamos a ir de compras en el centro comercial.
2. Vamos a nadar en el mar.
3. Vamos a visitar a unos amigos.
4. Vamos a un restaurante para comer.
5. Vamos a ver una exhibición en el museo.

C. (Sample responses)
1. La familia Colón da un paseo por la avenida.
2. Mandrako es hipnotista.
3. El hipnotismo es el arte de crear en una persona un estado similar al sueño.
4. El Sr. Colón dice que el hipnotismo es una estupidez.
5. Para hipnotizar al Sr. Colón, Mandrako le muestra un reloj y le dice que cierre los ojos.
6. Bajo la influencia de Mandrako, el Sr. Colón abre la boca, ladra como un perro, mete el dedo en el oído, salta como un mono y corre como un gato.
7. Cuando vuelve a su asiento, el Sr. Colón dice que él no es susceptible al hipnotismo.
8. La Sra. Colón dice que el Sr. Colón debe sacar el dedo del oído.

D.
1. lea el periódico
2. compre una revista
3. suba al autobús
4. entre en la clase
5. beba un café
6. estudie la lección
7. monte a caballo
8. duerma la siesta
9. coma un pedazo de pizza
10. nade en la piscina

E.
1. Cierren las ventanas.
2. Abran el libro de español.
3. No duerman en clase.
4. Repitan las palabras.
5. Aprendan un poema.

F.
1. De la información.
2. Oiga la expresión.
3. Ponga el libro sobre la mesa.
4. No salgan.
5. Tenga mucho cuidado.
6. Venga mañana.
7. Sea bueno con su hermanita.
8. Digan la verdad.
9. No vayan al centro.
10. Haga el trabajo.

G.
1. De un ejemplo.
2. Traiga una película española.
3. No se vayan ahora.
4. Diga algo.
5. Vayan a la cafetería ahora.

H.
1. Visita el museo conmigo.
2. Escribe la tarea en español.
3. Compra entradas para nosotros.
4. Juega a los bolos este sábado.
5. Patina en el parque el fin de semana.
6. Almuerza en mi casa.
7. Habla conmigo después de la clase.
8. Come en la cafetería conmigo.
9. Ayuda a tus amigos.
10. Vuelve a mi casa temprano.

I.
1. Come todo tu almuerzo. No comas solo el postre.
2. Habla con tu padre. No hables con tu madre.
3. Estudia la lección. No estudies solo el vocabulario.
4. Escucha a la profesora. No escuches a tus amigos.
5. Llama el lunes. No llames el martes.

J.
1. pongas
2. vayas
3. compra
4. come
5. haz
6. di
7. ven, vengas
8. sal
9. vende
10. ve

K.
1. Ve a la escuela. No vayas al cine.
2. Haz tu tarea. No mires la televisión.
3. Sé bueno. No digas mentiras.
4. Ten cuidado. No corras.
5. Cierra la puerta, ve a tu cuarto y pon tu abrigo allí.
6. Lee un buen libro. No escuches discos.

Preguntas Personales (Sample responses)

1. Generalmente, el sábado por la noche voy al cine.
2. En el invierno, leo libros para pasar el tiempo.
3. Me gustan las películas de acción.
4. Voy al teatro a veces. Me gustan las comedias por que son divertidas.
5. No sé montar a caballo, pero quiero aprender.
6. No asisto a conciertos de música clásica. Prefiero la música rock.
7. Los bolos son una actividad atlética porque hay que moverse y tener abilidad.
8. Practico el tenis.

Diálogo (Sample responses)

Vamos a la playa para nadar en el mar.
Puedes hacer la tarea en la playa. Trae tus libros.
Vamos a la playa de Malibú.
Después vamos a comer algo.
Ve a la clase. Yo sé que es importante.

Información Personal (Sample responses)

1. Salte tres veces.
2. Diga algo.
3. De la vuelta.
4. Abra la boca.
5. Cierre la boca.
6. Levante la mano derecha.

Para pensar (Sample responses)

1. Los domingos las familias se reunen y comparten juntos.
2. Porque los domingos los padres les dan dinero a los niños.
3. Significa «¿me das dinero?»
4. Pueden hacer lo que quieran.
5. Porque así pueden crear una unión familiar más fuerte.

Key to *Cuaderno* Exercises

A.
1. *el centro commercial*
   ir de compras
   comer algo
2. *el teatro*
   ver un concierto
   ver una comedia
3. *la playa*
   tomar el sol
   nadar en el mar
4. *el museo*
   ver una exhibición
   hablar con los amigos
5. *el parque*
   jugar al fútbol
   patinar
6. *el gimnasio*
   hacer ejercicios
   nadar en la piscina

B. **1.** ¿Vamos al centro comercial?
No. Vamos a una tienda.
2. ¿Vamos a patinar en el hielo?
No. Vamos a patinar sobre ruedas.
3. ¿Vamos a nadar en el océano?
No. Vamos a nadar en la piscina.
4. ¿Vamos a ver la televisión?
No. Vamos a ver una película.
5. ¿Vamos a ir a un concierto de rock?
No. Vamos a escuchar discos.
6. ¿Vamos a jugar a los bolos?
No. Vamos a jugar al tenis.

C. **1.** abre   **6.** habla
2. mira   **7.** come
3. sube   **8.** mete
4. corre   **9.** repite
5. cierra   **10.** toma

D. (Sample responses)
Venga a las ocho.
Vaya a la sala de clase.
Traiga su cuaderno.
Haga la presentación en español.
Diga algo sobre sus investigaciones.
Ponga sus ideas en unas tarjetas.
No des una copia de sus apuntes a la profesora.
Salga de la escuela a las doce.

E. (Sample responses)
1. Haz la cama.   **4.** Barre.
2. Limpia tu cuarto.   **5.** Lava la ropa.
3. Prepara la comida.

F. (Sample responses)
1. Diga algo de sus vacaciones.
¡No digas nada!
2. Tenga este regalo.
¡No tengas el regalo!
3. Venga a la cocina.
¡No vengas!
4. Haga un sándwich.
¡No hagas un sándwich!
5. Entre en mi cuarto.
¡No entres!
6. Mire mi álbum de fotos.
¡No mires!
7. Toque esta tela.
¡No toques!
8. Abra esa puerta.
¡No abras la puerta!
9. Baile conmigo.
¡No bailes!
10. Escuche este cuento.
¡No escuches!

Quiz 4

A. Write the formal command for each verb.
1. hablar   **4.** montar   **7.** salir   **10.** volver
2. comer   **5.** ir   **8.** conocer
3. decir   **6.** poner   **9.** volver

B. Write the informal command for each verb.
1. venir   **4.** correr   **7.** mirar   **10.** escuchar
2. salvdar   **5.** saltar   **8.** asistir
3. limpiar   **6.** tocar   **9.** comprar

Key to Quiz 4

A.
1. hable
2. coma
3. diga
4. monte
5. vaya
6. ponga
7. salga
8. conozca
9. vuelva
10. tenga

B.
1. ven
2. saluda
3. limpia
4. corre
5. salta
6. toca
7. mira
8. asiste
9. compra
10. escucha

Lección 5

Optional Oral Exercises

A. Make the following words plural.

1. el buzón
2. la estampilla
3. el sello
4. la carta
5. el cartero
6. el paquete postal
7. el sobre
8. la dependiente
9. la tarjeta postal
10. la dirección

KEY

1. los buzones
2. las estampillas
3. los sellos
4. las cartas
5. los carteros
6. los paquetes postales
7. los sobres
8. las dependientes
9. las tarjetas postales
10. las direcciones

B. Describe the following words with an adjective.

1. las flores
2. el cielo
3. las cartas
4. el lago
5. el perro
6. la clase
7. la casa
8. los amigos
9. el parque
10. los libros

KEY (Sample responses)

1. las flores bonitas
2. el cielo azul
3. las cartas largas
4. el lago profundo
5. el perro pequeño
6. la clase difícil
7. la casa grande
8. los amigos generosos
9. el parque divertido
10. los libros interesantes

Key to Actividades

A. Mario compra *papel*, *un sobre* y *estampillas/ sellos*. Entonces escribe la *carta*. Primero, pone la *fecha*, el *encabezamiento* y el *saludo*. Luego, escribe el cuerpo, la *despedida* y la *firma*.

Mario mete la carta en el sobre, escribe el *encabezamiento*, la *dirección* y pone el *sello*. Mario *cierra* el *sobre,* lo lleva al *correo* y lo mete en el *buzón*.

El *dependiente* toma el sobre y lo pone en un *portacartas*. Otro *dependiente* lleva el portacartas al aeropuerto. Todas las *cartas* llegan a su destino por avión. Cuando la carta de Mario llega al *correo* en Ponce, el *cartero* lleva la carta a la casa de Marta. Finalmente Marta recibe su carta. ¡Está contentísima!

Section 2

simpática   *pequeño*s

inteligente   *pequeña*s

joven   *fuerte*s

                  *popular*es

B. One of your classmates describes some people or objects to you. You want to know about other people or things.

EXAMPLE: YOUR CLASSMATE: **Miguel es mexicano. (Isabel)**

            YOU: **¿Es *Isabel mexicana* también?**

1. ¿Es el director español también?
2. ¿Es biología fácil también?
3. ¿Es la casa de Eduardo amarilla también?
4. ¿Son mis gatos grandes y gordos también?
5. ¿Es la madre de Raúl alta y rubia también?
6. ¿Son tus hermanos simpáticos también?

C. 1. malas   **6.** tercer
   2. algunas   **7.** primera
   3. mal, buen   **8.** Algún
   4. tercera   **9.** ningún
   5. primeras   **10.** buen

D. EXAMPLE: **Carlos es un buen amigo.**

       No, Carlos es un *mal* amigo.

1. No, María es una buena estudiante.
2. No, hoy hace mal tiempo.
3. No, el hijo del Sr. Pérez es un buen chico.
4. No, ella saca malas notas en español.
5. No, leer es un buen hábito.

E. 1. George Washington fue un gran presidente
   2. Madrid es una gran ciudad
   3. La niña de Ana es grande
   4. Cristóbal Colón fue un gran navegante
   5. El español es una gran lengua

F. 1. anuncios
   2. anuncios
   3. editorial
   4. consultorio sentimental
   5. anuncios
   6. deportes
   7. anuncios
   8. espectáculos
   9. televisión
   10. personales

G. (Sample responses)
1. Millones de personas escriben cartas a Doña Lupita.
2. Se llama el Consultorio Sentimental.
3. «Desesperada» es una muchacha de trece años.
4. «Desesperada» está enamorada.
5. «Desesperada» es tímida, seria y estudiosa.
6. El chico que ella describe es activo, amable, inteligente y simpático.
7. Doña Lupita le dice a la muchacha que debe tener confianza.
8. Estoy de acuerdo con sus consejos porque es bueno ser optimista.

Section 6

atentamente   popularmente

ciegamente   útilmente

locamente   hábilmente

H.
1. seriamente
2. naturalmente
3. inteligentemente
4. magníficamente
5. dulcemente

I.
1. perfectamente
2. seriamente
3. rápidamente
4. inteligentemente
5. cuidadosamente
6. fácilmente
7. realmente
8. locamente

J.
1. No, mi hermanito come mucho.
2. No, yo voy a llegar temprano.
3. No, mi hermana debe trabajar más.
4. No, mis abuelos viven lejos.
5. No, yo debo salir más tarde.

K.
1. ¿Cuándo vas a ir al cine?
   Voy al cine hoy.
2. ¿Cuándo vas a escribir una carta?
   Voy a escribir una carta después.
3. ¿Cuándo vas a salir de la clase?
   Voy a salir pronto.
4. ¿Cuándo vas a leer el periódico?
   Voy a leer el periódico ahora.
5. ¿Cuándo vas a dormir?
   Voy a dormir temprano.

L.
1. buena
2. bueno
3. bien
4. bien
5. buena
6. buenas
7. bueno
8. bien

M.
1. mala
2. malo
3. mal
4. mal
5. mala
6. malas
7. malas

Preguntas Personales (Sample responses)

1. Leo el periódico «Hoy».
2. Prefiero el consultorio sentimental.
3. Me gusta escribir cartas porque me encanta recibir correo.
4. La gente colecciona estampillas porque es interesante.
5. Me gusta leer novelas históricas porque aprendo mucho.
6. Recibimos mucho correo de nuestra familia.
7. En mi escuela publican el periódico «El Tiempo». Es muy bueno.
8. Es posible recibir consejos útiles del «consultorio sentimental» de un periódico porque la persona que escribe los consejos es generalmente inteligente.

Información Personal (Sample responses)

Yo aprendo español rápidamente

Yo hablo correctamente inglés bien.

Yo como muchas hamburguesas.

Yo contesto regularmente en la clase.

Yo camino muy poco.

Composición (Sample response)

el 15 de mayo de 2005

Querido Consultorio:

Me llamo Pedro Comequeso. Tengo 17 años y soy alto, delgado y moreno. Estoy muy triste porque necesito estudiar más y no tengo tiempo para divertirme con mis amigos. ¿Qué me recomienda?

Un cordial saludo de Pedro.

Para pensar

1. Se venden los periódicos y las revistas en las tiendas.
2. Tratan de deportes, noticias, clasificados y mucho más.
3. En la sección del horóscopo se lee el futuro.
4. Si necesito consejo sobre relaciones románticas, consulto el «consultorio sentimental».
5. Opino que aunque el Internet es popular, no va a reemplazar completamente a los periódicos.

Key to *Cuaderno* Exercises

A.
1. paquete
2. dirección
3. correo
4. el dependiente
5. estampillas / sellos
6. el buzón

B.
1. simpáticos
2. alta y rubia
3. blanca
4. gordos, perezosos
5. inteligentes
6. buen
7. mejor
8. fáciles
9. bolivianos
10. fuertes

C.

Buenos	tercer
primer	malas
mejores	fuertes
primer	mejores
segundo	fuerte

D.

gran	grandes	grandes
grande	gran	gran

E.

sanamente	aburridamente
felizmente	bravamente
tristemente	raramente
intensamente	simpáticamente
tontamente	nuevamente

F. (Sample responses)
1. Tengo mucha tarea los fines de semana.
2. Tengo poca tarea los lunes.
3. Me gusta más el español.
4. Me gusta menos el ingles.
5. Antes de las clases yo desayuno.
6. Después de las clases yo hago mi tarea.
7. Me siento bien cuando saco una buena nota.
8. Me siento mal cuando saco una mala nota.
9. Los profesores me tratan mal cuando me porto mal.
10. Los profesores me tratan bien cuando me porto bien.

G.
1. a. bien
2. e. mala
3. b. mal
4. c. buenos
5. d. buena

Quiz 5

A. Create adverbs from the following adjectives.

1. rápido
2. enojado
3. descuidado
4. listo
5. cariñoso
6. dulce
7. romántico
8. despacio
9. grande
10. duro

B. Fill in the blank with the appropriate form of *bien*, *bueno*, or *malo*.

1. Hoy me siento _____ . Estoy muy contenta.
2. Es una _____ idea. No tenemos tiempo para ir al centro comercial.
3. Héctor es un muchacho _____ . Siempre miente.
4. Está _____ si no sabes la respuesta. No te preocupes.
5. Lo siento. No conocemos _____ restaurantes por aquí.
6. ¡Gracias! Tú siempre tienes _____ respuestas a todas mis preguntas.
7. Estoy enfermo. Estoy _____ de la garganta.
8. Tenemos muy _____ parques en este pueblo.
9. ¡ _____ tardes, clase!
10. Un _____ libro es un placer.

Key to Quiz 5

A.

1.	rápidamente	6.	dulcemente
2.	enojadamente	7.	románticamente
3.	descuidadamente	8.	despacio
4.	listamente	9.	grandemente
5.	cariñosamente	10.	duramente

B.

1.	bien	6.	buenas
2.	mala	7.	mal
3.	malo	8.	buenos
4.	bien	9.	Buenas
5.	buenos	10.	buen

Repaso I
(Lecciones 1-5)

Key to Actividades

A.
1. duerme
2. almuerzan
3. sirve
4. sonríen
5. prefieres
6. piensa
7. cuesta
8. juegan
9. quiere
10. comienza

B.

C.
1. cubo
2. cadena
3. toalla
4. amarillo
5. sobre
6. buzón
7. reloj
8. loción
9. piscina

Solución: un tiburón

__ ls
__ le

D.

C	A	S	I	E	M	P	R	E		E
H	F	S	O	N	E	M	R	T		L
U	O	C	Á	Ñ	B	U	E	N		A
O	I	Y	U	M	I	C	E	I		M
G	R	A	N	D	E	H	D	S		S
E	E	S	U	O	N	O	R	G		O
I	E	S	L	C	E	R	C	A	U	J
C	C	O	D	I	M	Í	T	U		E
E	P	R	O	N	T	O	C	O		L
H	Á	B	I	L	M	E	N	T	E	

ADJECTIVES	ADVERBS	
ciego	casi	hábilmente
serio	siempre	cerca
dulce	hoy	menos
hábil	bien	más
loco	mucho	poco
grande	tarde	lejos
tímido	sin	muy
buena	pronto	mal

E.
1. mires
2. venga
3. ponga
4. compres, compra
5. salgan
6. ve, trae
7. vuelva(n)
8. cierre

F. correo
carta
periódico
anuncios
Solución: noticias

G.
1. exhibición
2. concierto
3. película
4. bailar
5. partido de fútbol
Solución: patinar en el hielo

H.

¹M		²H		³H	O	J	A	S	
A	⁵R	I	O	⁶G			B	⁷A	
R		O		U	⁸P	I	E	D	R	A
I		M		S	L		J		B	
P		I		⁹A	R	A	Ñ	A	O	
O	¹⁰L	G		N		N		¹¹F	L	O	R ¹²
¹³S	A	L	T	A	M	O	N	T	E	S	A
A	U				A		¹⁴Y			N
	V						T	I	E	R	R	A ¹⁵
	I	¹⁶C	¹⁷M			R	
¹⁸P	A	J	A	R	O	B	
	M		¹⁹S	O	L	A	
	P		C		
²⁰L	A	G	O	A	

I. Jorge Luis Pérez tiene 13 años. Hoy es *domingo* y está en la *playa* con sus *padres*. Su *madre (mamá)* le pone *loción bronceadora* en todo el *cuerpo* porque hace mucho *sol*. A Jorge Luis le gustan la *arena*, el *mar (agua)* y las *palmeras (palmas)*. Él quiere vivir en una *isla* tropical, tener un *barco (bote)* y pasar los días en *traje de baño*. La Sra. Pérez se pone las *gafas de sol*, extiende su *toalla* sobre la *arena* al lado de una *sombrilla* y toma *el sol*. El Sr. Pérez prepara la *carne* para la *barbacoa*. Mientras tanto, Jorge Luis juega con sus *amigos*, *corre(camina)* por la *playa* con su *perro*, *nada* en el *mar*, busca *conchas* y hace un *castillo* con su *cubo* y su *pala*. Un *domingo* perfecto.

Segunda Parte
Lección 6

Optional Oral Exercises

A. Act out the following actions and have your classmate guess the verb.

1.	despertarse	6.	cepillarse los dientes
2.	levantarse	7.	vestirse
3.	bañarse	8.	afeitarse
4.	lavarse	9.	acostarse
5.	peinarse	10.	dormirse

B. Now command your teacher to do each of the actions in exercise A.

KEY

1.	¡Despiértese!	6.	¡Cepíllese los dientes!
2.	¡Levántese!	7.	¡Vístase!
3.	¡Báñese!	8.	¡Aféitese!
4.	¡Lávese!	9.	¡Aféitese!
5.	¡Péinese!	10.	¡No se acueste!

C. You've changed your mind. Command your teacher NOT to do each action.

KEY

1. ¡No se despierte!
2. ¡No se levante!
3. ¡No se bañe!
4. ¡No se lave!
5. ¡No se peine!
6. ¡No se cepille los dientes!
7. ¡No se vista!
8. ¡No se afeite!
9. ¡No se acueste!
10. ¡No se duerma!

Key to Actividades

A.
1. Ellas se visten.
2. Mi papá se afeita.
3. Tú te despiertas.
4. Uds. se cepillan los dientes.
5. Carlos se levanta.
6. Él se peina.
7. Nosotras nos acostamos.
8. Yo me lavo.

B.
1. (a) Se lava con agua fría.
2. (b) La muchacha se mira en el espejo.
3. (b) Mi madre se viste.
4. (a) Ud. se despierta temprano.
5. (b) José se pone el abrigo.

C. (Sample responses)
1. Para muchos hispanoamericanos, el ciclismo es una pasión.
2. El ganador generalmente recibe mucho dinero y regalos.
3. El periodista quiere saber como vive un campeón.

4. Víctor se levanta temprano para practicar cuando no hace mucho calor.
5. Después de levantarse, Víctor se lava la cara y las manos, se afeita y se cepilla los dientes.
6. Víctor toma un desayuno ligero.
7. Después del almuerzo, Víctor se acuesta.
8. Según el periodista, todos los jóvenes tienen la misma oportunidad de hacerse campeones.
9. La bicicleta de Víctor es bonita y muy cara.
10. Para hacerse campeón en un deporte uno tiene que ser muy dedicado.

D. 1. No. Ud. se despierta a las cinco de la mañana.
2. No. Ud. se lava después de levantarse.
3. No. Ud. se viste después del desayuno.
4. No. Ud. se acuesta después del almuerzo.
5. No. Ud. se baña antes del almuerzo.
6. No. Ud. se afeita antes del desayuno.
7. No. Ud. se acuesta antes de las diez.
8. No. Ud. necesita acostarse temprano.

E. 1. Me levanto.
2. Me cepillo los dientes.
3. Me afeito.
4. Me lavo la cara.
5. Me acuesto.
6. Me duermo.

F. 1. Me desvisto.
2. Me peino.
3. Me cepillo los dientes.
4. Me baño.
5. Me acuesto.
6. Me duermo.

G. 1. Gerardo se levanta a las seis y treinta y cinco de la mañana.
2. Gerardo se lava la cara a las seis y cincuenta de la mañana.
3. Gerardo se viste a las siete y cinco de la mañana.
4. Gerardo se peina a las siete y quince de la mañana.
5. Gerardo se cepilla los dientes a las siete y media de la mañana.

H. 1. me   **4.** nos   **7.** se
2. se   **5.** se   **8.** nos
3. se   **6.** te

I. 1. me acuesto   **6.** se pone
2. se baña   **7.** nos despertamos
3. te sientas   **8.** se visten
4. se peina   **9.** me quito
5. se duermen   **10.** se afeitan

J. 1. ¿Qué haces ahora?
   Me lavo la cara.
2. ¿Qué haces ahora?
   Me cepillo los dientes.
3. ¿Qué haces ahora?
   Me cepillo el pelo./Me peino.
4. ¿Qué haces ahora?
   Me quito las pijamas.
5. ¿Qué haces ahora?
   Me pongo los calcetines y los zapatos.

K. (Sample responses)

1. Carlos no se acuesta a las siete de la mañana.
2. Yo no me despierto a las once de la noche.
3. Mis padres no se peinan a las doce de la noche.
4. Tú no te duermes a medianoche.
5. Uds. no se levantan a las cuatro de la tarde.
6. Ud. no se sienta a las dos de la tarde.
7. Mi madre no se cepilla los dientes al mediodía.

L.
1. ¡Despiértate!
2. ¡Báñate!
3. ¡Cepíllate los dientes!
4. ¡Diviértete!
5. ¡Acuéstate!
6. ¡Cepíllate el pelo!

M.
1. ¡No te despiertes!
2. ¡No te bañes!
3. ¡No te cepilles los dientes!
4. ¡No te diviertas!
5. ¡No te acuestes!
6. ¡No te cepilles el pelo!

N.
1. ¡Despiértense temprano!
2. ¡Quítense los abrigos!
3. ¡Lávense las manos!
4. ¡Siéntense!
5. ¡Diviértanse!
6. ¡Péinense!

O.
1. ¡No se despierten temprano!
2. ¡No se quiten los abrigos!
3. ¡No se laven las manos!
4. ¡No se sienten!
5. ¡No se diviertan!
6. ¡No se peinen!

P.
1. ¡No te quites el sombrero!
2. ¡Pónte el abrigo!
3. ¡Levántate de la silla!
4. ¡No te laves la cara!
5. ¡No te sientes!
6. ¡No te duermas!

Q.
1. lavarse
2. sentarnos
3. Acuéstese
4. dormirse
5. divertirnos
6. bañarme
7. levantarse
8. Cepíllate
9. Siéntese
10. ponerme

R. (Sample responses)

En una semana típica, yo me levanto temprano, me baño por la mañana, hago mis tareas, hablo con mis amigas, etc.

Mi madre me dice . . . acuéstate temprano, lávate la cara, diviertete en la escuela . . . .

S.
1. ¿Cuándo se abren las tiendas?
2. ¿Qué se puede comprar en esta tienda?
3. ¿Por dónde se entra en el teatro?
4. ¿Cómo se sube al autobús?
5. ¿Cuándo se permiten visitas?
6. ¿En qué se va al jardín botánico?
7. ¿Qué se hace para divertirse?
8. ¿Cómo se llega a la estación?

T.
1. (j) no smoking
2. (g) house for sale
3. (i) secretary wanted
4. (f) currency exchange
5. (h) home style cooking
6. (a) we open at 1:00
7. (c) no parking
8. (b) rooms for rent
9. (e) TV's installed
10. (d) we do not accept checks

Diálogo (Sample responses)

Me levanto a las seis de la mañana.

Antes de salir de casa, me baño, me peino, me cepillo los dientes y me visto.

Para divertirme, me gusta ir de compras y leer.

Me siento a comer a las siete de la noche.

Los jóvenes deben acostarse temprano para tener energía y éxito en la vida.

Preguntas Personales (Sample responses)

1. En las vacaciones, me divierto al nado en el mar y juego con mis hermanos.
2. Durante el verano me pongo un abrigo y guantes.
3. Los domingos me despierto a las diez.
4. Me cepillo los dientes tres veces al día.
5. En mi escuela se practican el fútbol y el fútbol americano.

Información Personal (Sample responses)

1. Me levanto.
2. Me baño.
3. Me cepillo el pelo.
4. Me cepillo los dientes.
5. Me visto.

Para pensar (Sample responses)

1. Porque cuestan mucho.
2. Llevan a los niños a la escuela, hacen las compras, van al trabajo, pasean.
3. Esperan conducir su propio auto.
4. Es como un auto.
5. La contaminación ambiental.

Key to *Cuaderno* Exercises

A.
1. A las seis y diez de la mañana, se levanta.
2. A las seis y veinticinco de la mañana, se baña.
3. A las seis y treinta y cinco de la mañana, se lava la cara.
4. A las siete menos cuarto de la mañana, se cepilla los dientes.
5. A las siete de la mañana, se afeita.
6. A las siete y diez de la mañana, se viste.
7. A las dos y media de la tarde, se divierte en la playa.
8. A las diez y cuarto de la noche, se desviste.
9. A las once y cuatro de la noche, se acuesta.
10. A las once y media de la noche, se duerme.

B.
1. lava	6. se mira
2. llamas	7. se pone
3. me baño	8. se visten
4. nos divertimos	9. bañar
5. despiertan	10. acuesta

C.
1. me	5. nos	9. se
2. te	6. se	10. me
3. nos	7. se	
4. se	8. se	

D.
Me	me	Me
te	me	
me	me	

E.
1. No. Me acuesto tarde.
2. No. Mi hermano se depierta temprano.
3. No. Ellos se cepillan los dientes dos veces al día.
4. No. Nosotros nos ponemos la ropa despacio.
5. No. Yo me levanto de mal humor.

F.
1. ¡Despiértense!, No se despierten.
2. ¡Lávese!, No se lave.
3. ¡Vístete!, No te vistas.
4. ¡Báñese!, No se bañe.
5. ¡Cepíllate los dientes!, No te cepilles los dientes.
6. ¡Pónte el abrigo!, No te pongas el abrigo.
7. ¡Lávense la cara!, No se laven la cara.
8. ¡Quítate los zapatos!, No te quites los zapatos.
9. ¡Desvístase!, No se desvista.
10. ¡Duérmete!, No te duermas.

G. (Sample responses)

Antes de ir a la escuela . . .

. . . debo despertarme, levantarme y bañarme

. . . necesito cepillarme los dientes, lavarme la cara y afeitarme

. . . tengo que peinarme, vestirme y ponerme la gorra

H.
1. e. . . . inglés y español.
2. g. . . . cheques de viajero.
3. a. . . . mucho en las fiestas.
4. f. . . . fumar en el restaurante.
5. i. . . . a tiempo para una entrevista
6. c. . . . hielo – ¡sólo un peso la bolsa!
7. j. . . . bebidas frescas en el verano.
8. b. . . . nunca. Se abre 24 horas.
9. h. . . . «¡Hola! » para saludar a alguien.
10. d. . . . si va a llover mañana.

Quiz 6

A. Fill in the blank with the correct reflexive pronoun.
1. Ella _____ acuesta temprano.
2. Nosotros _____ levantamos tarde hoy.
3. Ellos _____ divierten juntos.
4. Yo _____ cepillo los dientes mucho.
5. Juan y Rafael _____ visten igual a veces.
6. Tú _____ lavas el pelo todas las mañanas.
7. Ustedes _____ peinan el pelo.
8. Nosotros _____ bañamos en la piscina.
9. Usted _____ afeita muy poco.
10. Clarita _____ duerme temprano.

B. Ask your friend to do the following:
1. lavarse el pelo
2. levantarse tarde
3. bañarse
4. vestirse
5. acostarse

C. Ask your teacher not to do the following:
1. cepillarse los dientes
2. afeitarse
3. peinarse
4. desvestirse
5. dormirse

Key to Quiz 6

A.
1. se
2. nos
3. se
4. me
5. se
6. te
7. se
8. nos
9. se
10. se

B. Command your friend to do the following:
1. ¡Lávate el pelo!
2. ¡Levántate temprano!
3. ¡Báñate!
4. ¡Vístete!
5. ¡Acuéstate!

C. Command your teacher not to do the following:
1. ¡No se cepille los dientes!
2. ¡No se afeite!
3. ¡No se peine!
4. ¡No se desvista!
5. ¡No se duerma!

Lección 7

Optional Oral Exercises

A. Express the correct form of each verb in the preterit.

1. tú (robar)
2. yo (correr)
3. ellos (descubrir)
4. él (dar)
5. ella (pensar)
6. yo (volver)
7. nosotros (hablar)
8. Uds. (servir)
9. Ud. (tener)
10. ellos (mentir)

KEY

1. robaste
2. corrí
3. descubrieron
4. dio
5. pensó
6. volví
7. hablamos
8. sirvieron
9. tuvo
10. mintieron

B. Express the correct form the verb *ir* in the preterit.

1. yo
2. ella
3. nosotros
4. Carlota y Carmen
5. Juan
6. Ellos
7. Tú
8. Usted
9. Ustedes
10. Él

KEY

1. fui
2. fue
3. fuimos
4. fueron
5. fue
6. fueron
7. fuiste
8. fue
9. fueron
10. fue

Key to Actividades

A.
1. Dos hombres armados entraron en el banco.
2. Dos testigos vieron a los hombres.
3. Los hombres tenían pistolas.
4. Los hombres robaron dinero.
5. La empleada del banco les dio el dinero.

B. (Sample responses)
1. La primera escena es de noche. La segunda es de día.
2. En la primera escena hay una policía y en la segunda hay un policía.
3. En la primera escena, dos testigos hablan con un detective. En la segunda escena, un testigo habla con un detective.
4. Los dos testigos de la primera escena dicen que había un ladrón. El testigo de la Segunda escena dice que había dos ladrones.
5. En la primera escena hay un carro de policía. En la segunda escena, hay una moto.

C.
1. La señora Laura Moreno llamó al inspector Delgado.
2. El inspector llegó a la casa de la Sra. Moreno a las dos y veinte de la tarde.
3. Laura vio la sombra de un hombre en el estudio de su marido.
4. El hombre saltó por la ventana cuando vio a Laura.
5. Según Laura, el ladrón se escapó en un carro.

6.   Laura encontró una gorra en el jardín.
7.   El inspector examinó los muebles.
8.   ¿El inspector vio las huellas de unos zapatos de hombre en el jardín.
9.   Según el inspector, Laura contó mentiras.
10. El inspector decidió que fue Laura quien robó sus propias joyas.

D.
1.   entré
2.   entraron, cerraron
3.   comenzamos
4.   escuchó, llamó
5.   llegó
6.   robaron
7.   dio

E.
1.   dormí
2.   comió
3.   vieron
4.   saliste
5.   recibimos
6.   dieron
7.   corrió
8.   escribieron

F.   (Sample responses)
1.   Salí a comer a un restaurante italiano.
2.   Comí espaguetis con salsa de tomate.
3.   Vi una película muy buena. Se llama "Acción en el Amazonas".
4.   Compré un regalo perfecto para mamá.
5.   El domingo me desperté a las nueve.
6.   Nadé mucho en la piscina.
7.   Di un largo paseo por el centro de la ciudad.
8.   Me divertí mucho.
9.   Conocí a los padres de mi amigo – son muy amables.
10. Invité a mi amigo y a su familia a venir a nuestra casa.

G.
1.   pedí
2.   pidió
3.   pedimos
4.   pediste
5.   pidieron
6.   pidió

Section 5

	estar *to be*	hacer *to do, make*	poder *to be able*	poner *to put*	querer *to want*	tener *to have*	venir *to come*
	est-	hic-	pud-	pus-	quis-	tuv-	vin-
yo	estuve	hice	pude	puse	quise	tuve	vine
tú	estuviste	hiciste	pudiste	pusiste	quisiste	tuviste	viniste
Ud., él, ella	estuvo	hizo	pudo	puso	quiso	tuvo	vino
nosotros, -as	estuvimos	hicimos	pudimos	pusimos	quisimos	tuvimos	vinimos
Uds., ellos, ellas	estuvieron	hicieron	pudieron	pusieron	quisieron	tuvieron	vinieron

H.
1.   quise
2.   vinieron
3.   se puso
4.   estuviste
5.   pudimos
6.   tuvieron
7.   hicieron
8.   estuvo
9.   pusiste

5.   Nosotros tuvimos que ir a la escuela.
6.   Tú no quisiste comer afuera.
7.   María hizo un viaje a México.
8.   Yo no tuve tiempo.
9.   ¿Dónde pusieron Uds. los periódicos?
10. Ud. vino por la mañana.

I.
1.   Yo no pude ver esa película.
2.   Ellos hicieron todo el trabajo.
3.   Mi mamá puso la comida en la mesa.
4.   Los ladrones pudieron escaparse.

J.
1.   fuiste
2.   fueron
3.   fue

K.

hicimos	salí	salimos
fuimos	se puso	pidió
vimos	pudo	sirvió
quisieron	tuvimos	estuvimos
fueron	vino	me accosté

Section 7

	leer	caerse
yo	leí	me caí
tú	leíste	te caíste
Ud. / él / ella	leyó	se cayó
nosotros	leímos	nos caímos
Uds. / ellos / ellas	leyeron	se cayeron

L.
1. oí
2. oíste
3. oyó
4. oyeron
5. oyeron
6. oímos

M.
1. trajiste
2. traje
3. trajo
4. trajimos
5. trajo
6. trajeron

N. (Sample responses)
1. Sí. Leí el periódico ayer.
2. El primer presidente de los Estados Unidos fue George Washington.
3. El domingo pasado estuve en la playa.
4. El fin de semana pasado hizo muy buen tiempo.
5. Alejandro llegó tarde a la clase hoy.
6. Mis padres oyeron las noticias en mi casa anoche.
7. Tuve que hacer tareas anoche para la clase de español.
8. La profesora dijo que tienen que estudiar más.

Preguntas Personales (Sample responses)
1. El sábado pasado por la noche fui al cine.
2. Anoche hice mi tarea.
3. Esta mañana salí a las siete.
4. Me acosté a las once anoche.
5. La semana pasada trabajé mucho.

Diálogo (Sample responses)

¿Dónde estuviste anoche?
¿Adónde fuiste?
¿Qué hicieron después de la fiesta?
¿A qué hora regresaste a casa?
¿A quién viste en la calle?

Información Personal (Sample responses)
1. Yo fui a la escuela.
2. Estudié para el examen de matemáticas.
3. Fui de compras con mis amigos.
4. Miré la television.
5. Me acosté temprano.

Composición (Sample responses)
1. Vi un robo.
2. Tuvo lugar en la calle.
3. Robaron las joyas de una señora.
4. No pude ver las caras de los ladrones.
5. Los ladrones fueron a un carro y se escaparon.

Para pensar (Sample responses)

1. La Policía Nacional, la Guardia Civil y la Policía Municipal o Urbanos.
2. Se llama el tricornio.
3. Dirigen el tránsito.
4. Costa Rica no tiene fuerzas armadas o ejército.
5. Puede ser peligroso, dependiendo del país.

Key to *Cuaderno* Exercises

A. *el robo:*

el crimen	el ladrón
el cómplice	las víctimas
la pistola	

la sala del tribunal:

el abogado	el juez
el fiscal	el criminal
el jurado	

la cárcel:

la celda	el fugitivo
el sargento	el teniente de detectives
el guarda	

B.
1. *dejó → it stopped*
2. abrió → he opened
3. miró → he looked
4. sonó → it rang
5. preguntó → she asked
6. llegó → he arrived
7. tocó → he knocked
8. abrió → she opened
9. dijo → she said
10. ocurrió → it happened
11. salí → I left
12. encontré → I found
13. entré → I entered
14. vi → I saw
15. vio → he saw
16. saltó → he jumped
17. corrió → he ran
18. corrí → I ran
19. entró → he entered
20. se escapó → he escaped
21. encontré → I found
22. descubrí → I discovered
23. robó → he stole
24. reconoció → you recognized
25. vi → I saw
26. despedimos → we said goodbye
27. encontré → I found
28. escuchó → he heard
29. examinó → he examined
30. salió → he left
31. contó → you told
32. pasó → it happened

C.
1. descubrí
2. comencé
3. vieron
4. pasé
5. llamé
6. compartir
7. dio

D. (Sample responses)
1. Una vez no encontré mis llaves. ¡Fue horrible!
2. Una vez mi mejor amigo me mintió. ¡Fue deprimente!
3. Una vez perdí mi cartera. ¡Fue imposible encontrarla!
4. Una vez alguien me pidió hacer algo ilegal. ¡Fue terrible!
5. Una vez comí en casa de mis primos y me sirvieron hígado. ¡Fue asqueroso!
6. Una vez mi amigo durmió en clase. ¡Fue chistoso!
7. Una vez pensé que mi amiga se burlaba de mí.¡Fue triste!
8. Una vez volví a la escena de un "crimen" – robe un lápiz de mi hermana. ¡Fue malo!

E. **1.** tuvo, pudo
   2. estuvimos, vinimos
   3. estuve, pude
   4. vino, tuvo
   5. hicieron, quisieron

F. **1.** fue, Fue
      She went to the beach a lot last year. She was a lifeguard.
   2. fui, Fui
      I went to class every day. I was the most dedicated student.
   3. fuimos, Fuimos
      We were good players. We went to the park to practice every day.
   4. fueron, Fueron
      They went to Mexico five times. They went to the capital and to Oaxaca too.
   5. fueron, fuimos
      You were my best friends in elementary school. Now that we went to the other school, we don't talk as often.

G. (Sample responses)
   1. Ella se cayó.
   2. Juan leyó sus apuntes.
   3. Ella oyó música muy bonita.
   4. No lo creí.

H. (Sample responses)
   Yo dije que hay mucho trabajo en la clase de español.
   Tú dijiste que hay mucha tarea en la clase de español.
   Ella dijo que hay un examen en la clase de español.
   Él dijo que hay un examen enorme en la clase de español.
   Nosotros dijimos que hay un examen enorme mañana en la clase de español.
   Ustedes dijeron que hay un examen enorme mañana en la clase de español y ¡que va a ser muy difícil!

Quiz 7

A. Write the correct form of the verb in parentheses in the preterit.
   1. ella (comer)
   2. tú (hablar)
   3. nosotros (vivir)
   4. él (robar)
   5. yo (ir)
   6. Ustedes (descubrir)
   7. Juanita y Carmen (dar)
   8. Tú y yo (ver)
   9. ellos (correr)
   10. yo (estar)

B. Supply the correct form of the verb *ir* or *ser* in the preterit.
   1. Ella _____ al mercado.
   2. Nosotros _____ mejores amigos.
   3. Ellas _____ a México para sus vacaciones.
   4. Nicolás y Nicomedes _____ los mejores estudiantes el año pasado.
   5. Tú _____ a clase tarde ayer.

6. Mi familia _____ al Caribe el mes pasado.
7. Yo _____ con ellos.
8. Él _____ muy simpático conmigo.
9. Usted _____ a la tienda para comprar un regalo.
10. Ustedes _____ muy generosos con los niños.

Key to Quiz 7

A.

1.	comió	6.	descubrieron
2.	hablaste	7.	dieron
3.	vivimos	8.	vimos
4.	robó	9.	corrieron
5.	fui	10.	estuve

B.

1.	fue	6.	fue
2.	fuimos	7.	fui
3.	fueron	8.	fue
4.	fueron	9.	fue
5.	fuiste	10.	fueron

Lección 8

Optional Oral Exercises

A. Express the correct form of each verb in the imperfect tense.
1. jugar a las cartas (ellos)
2. hacer ejercicios (ellas)
3. navegar (yo)
4. montar en bicicleta (tú)
5. hacer jogging (ella)
6. correr (nosotros)
7. nadar (Ud.)
8. tirar un frisbee (él)
9. montar a caballo (Uds.)
10. jugar al ping-pong (tú)

KEY

1. jugaban
2. hacían
3. navegaba
4. montabas
5. hacía
6. corríamos
7. nadaba
8. tiraba
9. montaban
10. jugabas

B. Answer in complete Spanish sentences.
1. ¿Cuando eras niño/a, cuándo montabas en bicicleta?
2. ¿Cuando eras niño/a, dónde jugabas al voleibol?
3. ¿Cuando eras niño/a, te gustaba montar a caballo?
4. ¿Cuando eras niño/a, eras buen deportista?
5. ¿Cuando eras niño/a, ibas al parque mucho?

KEY (Sample responses)

1. Cuando era niño/a montaba en bicicleta en la primavera.
2. Cuando era niño/a jugabas al voleibol en la playa.
3. Cuando era niño/a no me gustaba montar a caballo.
4. Cuando era niño/a no era buen deportista.
5. Cuando era niño/a no iba al parque mucho.

Key to Actividades

A. (Sample responses)
La gente juega al tenis, camina, pesca, toma fotos, rema en el lago y juega al golf.

B.
1. jugar al golf
2. pescar
3. tomar fotos
4. caminar, jogging, comer
5. jugar al tenis
6. remar
7. esquiar
8. jugar al ping pong
9. jugar al frisbee
10. jugar al voleibol

C. (Sample responses)
1. El Sr. Comequeso está en el consultorio de un psiquiatra.
2. El doctor toma notas mientras el paciente habla.
3. El paciente casi no tenía amigos cuando era niño.
4. Cuando tenía 17 años salía con su mamá.
5. El paciente iba a pasar las vacaciones al campo.
6. El Sr. Comequeso no hace el viaje porque su mamá no le da permiso.
7. Según el psiquiatra, el paciente necesita más confianza.
8. El psiquiatra va a hacer un programa para convertir al señor en un hombre libre e independiente.
9. La esposa del doctor llama por teléfono.
10. En mi opinión, el doctor es similar al paciente.

D.
1.	jugaba	6.	me despertaba
2.	trabajaba	7.	mirábamos
3.	visitábamos	8.	hablaba
4.	pasaron	9.	tomabas
5.	compraban	10.	nevaba

Section 3

Yo	ia	nosotros	íamos
Tú	ías		
Ud./él/ella	ía	Uds./ellos/ellas	ían

E.
1. El año pasado un alumno abría las ventanas.
2. El año pasado yo quería hablar en español.
3. El año pasado los alumnos sabían contestar bien.
4. El año pasado nosotros teníamos muchas tareas.
5. El año pasado tú leías y escribías en español.

6. El año pasado el director venía a nuestra clase.
7. El año pasado Uds. se dormían en clase.
8. El año pasado yo entendía la lección.
9. El año pasado Ud. creía todo lo que dice la maestra.
10. El año pasado los alumnos conocían a todos los profesores.

F. (Sample responses)
1. Hace tres años yo nadaba en la piscina todas las mañanas.
2. Hace cinco meses yo trabajaba en el supermercado.
3. Hace doce años yo dormía en una cama muy pequeña.
4. Hace siete años yo pasaba más tiempo jugando con mis hermanos.
5. Hace trece años yo hacía travesuras en la casa.

G.
1.	eras	4.	era	7.	eran
2.	era	5.	éramos		
3.	era	6.	eran		

H.
1. Cuando yo era niño, mis padres iban al campo.
2. Cuando yo era niño, yo iba a la escuela.
3. Cuando yo era niño, mi abuelo iba a la plaza.
4. Cuando yo era niño, Ud. iba al cine.
5. Cuando yo era niño, tú ibas al parque.
6. Cuando yo era niño, Uds. iban al supermercado.

I.
1. ¿Dónde vivías cuando eras niña?
2. ¿Adónde iban cuando eras niña?
3. ¿Cuántos amigos tenías cuando eras niña?
4. ¿Cuándo veía a tus abuelos cuando eras niña?
5. ¿Cómo ibas a la escuela cuando eras niña?
6. ¿Con quién salías al parque?

Preguntas Personales (Sample responses)

1. Cuando era niño yo hacía muchas travesuras.
2. Hace cinco años vivía en un apartamento pequeño.
3. Iba a una escuela en mi viejo vecindario.
4. Era un buen alumno.
5. Mi mejor amigo era Martín.

Información Personal (Sample responses)

1. ¿Dónde vivías cuando eras niña?
2. ¿Con quién jugabas?
3. ¿Que juguetes tenías?
4. ¿Adónde ibas con tu familia?
5. ¿Qué tipo de niña eras?

Composición (Sample response)

Cuando era niño, todos los veranos íbamos en carro al campo. Siempre hacía buen tiempo. Hacía sol y nunca llovía. En el campo nadábamos, pescábamos y jugábamos mucho. Me gustaban mucho las vacaciones en el campo porque pasaba tiempo con mi familia.

Diálogo (Sample responses)

Cuando era joven, trabajaba en el mercado.

Tenía dos hermanas.

Me gustaba jugar a las cartas con mis hermanas.

Por la noche, salía al cine.

La semana próxima, podemos discutir mi relación con mi mamá.

Para pensar (Sample responses)

1. Las vacaciones en Hispanoamérica son los días de fiesta.
2. Los beneficios no son tan buenos en Hispanoamérica.
3. Porque generalmente los salarios no son muy altos.
4. Las familias hispanoamericanas van en excursiones a balnearios o a la playa durante las vacaciones.
5. Porque todos necesitamos descanso y recreación.

Key to *Cuaderno* Exercises

A.

Queridos amigos:

Les escribo desde Villa Hermosa, el centro turístico más divertido del país. Aquí pueden pescar, montar a caballo, nadar, tomar fotos y mucho más. Les recomiendo tomar sus próximas vacaciones aquí.

Hasta pronto.

B. (Sample response)

Cuando era niña, yo iba al campo a pasar los veranos con mis tíos. Allí yo jugaba con mis primos y montábamos a caballo. Nadábamos mucho en el río que estaba cerca de la casa. Hablaba con mis primos y no reíamos mucho. Yo pensaba que era el mejor lugar en el mundo. Lloraba cuando tenía que volver a casa.

C.
1. Yo corría mucho cuando era joven.
2. Yo hablaba francés cuando era joven.
3. Yo recibía buenas notas cuando era joven.
4. Yo entendía todas las lecciones cuando era joven.
5. Yo comía mucha langosta cuando era joven.
6. Yo jugaba al tenis cuando era joven.
7. Yo montaba a caballo cuando era joven.
8. Yo ganaba muchos partidos cuando era joven.
9. Yo cocinaba mucho cuando era joven.
10. Yo nadaba mucho cuando era joven.

D.
1. era
2. iba
3. era
4. ibas
5. éramos
6. era
7. iban
8. eran
9. íbamos
10. iba

Quiz 8

A. Write the imperfect form of each verb.
1. jugar (tú)
2. montar (Ud.)
3. hacer (ellos)
4. tener (yo)
5. ir (él)
6. ser (ella)
7. querer (nosotros)
8. llamar (tú)
9. salir (ella)
10. sacar (yo)
11. pescar (ellos)
12. leer (Uds.)
13. saber (yo)
14. comer (Uds.)
15. dar (nosotros)
16. pasar (él)
17. vivir (tú)
18. encontrar (ella)
19. escribir (nosotros)
20. tomar (ellos)

Key to Quiz 8

A.
1. jugabas
2. montaba
3. hacían
4. tenía
5. iba
6. era
7. queríamos
8. llamabas
9. salía
10. sacaba
11. pescaban
12. leían
13. sabía
14. comían
15. dábamos
16. pasaba
17. vivías
18. encontraba
19. escribíamos
20. tomaban

Lección 9

Optional Oral Exercises

A. State the equivalent time phrase for each:

1. 60 segundos
2. 365 días
3. 24 horas
4. 12 meses
5. 200 años
6. 7 días
7. 4 semanas
8. 60 minutos
9. 48 horas
10. 14 días

KEY

1. un minuto
2. un año
3. un día
4. un año
5. dos siglos
6. una semana
7. un mes
8. una hora
9. dos días
10. dos semanas

B. Provide the correct form *ser* in the preterit.

1. yo
2. ella
3. tú
4. mis padres
5. nosotros

KEY

1. fui
2. fue
3. fuiste
4. fueron
5. fuimos

B. Provide the correct form of *ir* in the imperfect.

1. ellas
2. Ud.
3. tú
4. nosotros
5. Uds.

KEY

1. iban
2. iba
3. ibas
4. íbamos
5. iban

Key to Actividades

A. (1) ayer
(2) anteayer
(3) mañana
(4) pasado mañana
(5) de hoy en ocho días
(6) de hoy en quince días

B.
1. d. una hora
2. a. un minuto
3. k. un año
4. c. de hoy en quince
5. h. anteayer
6. i. mañana
7. j. un siglo
8. b. de hoy en ocho
9. e. pasado mañana
10. g. la eternidad

C. (Sample responses)
1. La adivina se llama Matilde.
2. Según Rosana, doña Matilde puede ver el pasado y predecir el futuro.
3. Josefina no cree en esas cosas. Dice que no va a gastar su dinero, pero sí va a acompañar a su amiga.
4. En el centro de la mesa la adivina tiene una bola de cristal.
5. La adivina sabía que cuando Rosana era niña, contaba con los dedos de las manos y de los pies.

6. Dijo que Josefina estaba enamorada secretamente de Antonio.
7. Rosana piensa que doña Matilde no sabe nada.
8. Josefina piensa que doña Matilde es una maravilla.
9. Según Rosana, doña Matilde sabe cosas del pasado de Josefina porque su hermana la visitó la semana pasada y le contó mucho sobre su vida.
10. En mi opinión, algunas personas creen en los adivinos porque quieren saber el futuro.

D.
1. Iban
2. hizo
3. desperté
4. salió
5. tomabas
6. tomaste
7. corría
8. visitaba
9. llegábamos
10. llegamos

E.
1. Yo iba todos los sábados al cine.
2. Nosotros estuvimos una vez en Nueva York.
3. Yo salía a dar un paseo todas las noches.
4. Juan leyó dos novelas el verano pasado.
5. Nosotros nadábamos a menudo en la piscina.
6. Mis padres viajaron a Europa hace un año.
7. Uds. iban a la playa todos los veranos.
8. Tu hermana trabajaba por lo general hasta tarde.
9. Mi tío vino de España hace cinco años.
10. Tú llegabas siempre tarde a la escuela.

Section 3

Two, Two, Pretérito, imperfecto, cuando
The video camera, The instant camera

F.
1. llegaste
2. jugó
3. me levantaba
4. leía, llamó
5. fueron
6. vi, llevaba
7. hacían
8. recibía
9. me lavaba, tocó
10. nació, vivíamos

G. (Sample responses)
1. Yo estaba en el patio.
2. Yo jugaba con Marta.
3. Jugábamos al béisbol.
4. Me escondí al ver que la pelota caía en otra casa.
5. La vecina me gritó cuando la pelota cayó en su casa.
6. Mi madre estaba en la sala cuando terminamos de jugar.
7. Le dije a mi mamá lo que había sucedido.

H.
era	salíamos
vivía	preparaba
trabajaba	se sentaba
llegaba	iba

I.
llovía	Era
salí	corrió
caminaba	encontró
oí	se escapó
gritaba	hablaban

J.
1. Era agosto y estaba en la Ciudad de México.
2. Vivía en un hotel.
3. Un día, me desperté temprano.
4. Iba a hacer un viaje.
5. Abrí la ventana y vi que el sol brillaba.
6. Íbamos en autobús.
7. Me vestí rápidamente.
8. Íbamos a ver las pirámides.
9. Eran muy lindas.
10. Me divertí.

K. 1. ¿Conoces a María?
Sí. La conocí en una fiesta ayer.
2. ¿Sabes dónde vive?
Sí. Supe que vive cerca a mi casa.
3. ¿Conociste a su hermana Rosa también?
Sí. Conocí a Rosa la semana pasada.
4. ¿Sabías que son cubanas?
No. No lo sabía.

L. (Sample responses)
De niño vivía en un vecindario muy bonito.
Jugaba a las cartas con sus primos todos los domingos.
Comía mucho helado durante los veranos.
Escribía cartas a sus amigos en España.
Hacía la tarea todas las noches y sacaba muy buenas notas.

Diálogo (Sample responses)

¡Es verdad! Me caí de una escalera y me lastimé la rodilla.
¡Es verdad! A veces mentía a mis padres.
¡Es verdad! No hablaba con nadie.
¡Es verdad! Me gustaba mi vecina Laura..
¡Es verdad! Saqué una D porque no estudié mucho.

Preguntas Personales (Sample responses)

1. Cuando era niña, montaba a caballo para divertirme.
2. Aprendía a deletrear y a escribir en la escuela elemental.
3. Mi familia era muy grande y cariñosa.
4. Durante las vacaciones nadaba en el lago y pescaba.
5. Me gustaba mi vida mucho porque lo tenía todo.

Información Personal (Sample responses)

En el pasado, soñaba con ser una estrella de cine. Me gustaba cantar en el baño y practicar baile en mi cuarto con la puerta cerrada. Escribía dramas para yo actuar con mis muñecos y con mis hermanas menores. ¡Me divertía mucho!

Para pensar (Sample responses)

1. La gente practica varios rituales.
2. Van a la playa y se tiran al agua tres veces.
3. Escriben las cosas negativas que quieren cambiar.
4. Para tirar las cosas que ya no quieren.
5. Las personas comparten con los demás.

Key to *Cuaderno* Exercises

A.

1.	segundos	**5.**	meses	**9.**	semana
2.	minutos	**6.**	años	**10.**	días
3.	meses	**7.**	horas		
4.	días	**8.**	años		

B. (Sample responses)
1. Anoche
2. todos los veranos
3. ayer
4. La semana pasada
5. siempre
6. Hace dos días
7. a veces
8. anteayer
9. El año pasado
10. frecuéntemente

C. **1.** hablaba, entró
2. pensaba, decidiste
3. mirábamos, gritó
4. fueron, jugaban

5. estudiabas, me dormí
6. tenía, llegó
7. escribía, esperaba
8. compré, cociné
9. cantaban, se sonreían
10. bailábamos, se apagó

D. (Sample response)

Me acuerdo de los veranos en la playa con mi familia. Mi mama leía un libro mientras mi padre jugaba con nosotros. Siempre nadábamos en el océano y jugábamos voleibol en la arena. Me divertía mucho en aquel entonces.

E.
1. Lo supe en la clase de historia el año pasado.
2. Conocí a la estudiante nueva la semana pasada en la cafetería.
3. Conocí al cantante de la banda en la fiesta.
4. Sabía que había un problema cuando llegué a casa.
5. Sabía algo del estado desde mi niñez.

Quiz 9

A. Provide the correct form of *ser* or *ir* in the preterit or imperfect.
1. Cuando _____ niña, yo jugaba mucho.
2. Ella _____ al cine anoche.
3. Tú siempre _____ un buen amigo.
4. Mis padres _____ a México ayer.
5. Yo _____ la mejor estudiante en mi clase.

B. Supply the correct form of each verb in the preterit or the imperfect.
1. Mientras yo _____ la tele, mi hermana _____ su tarea.
    $\qquad$ (mirar) $\qquad\qquad\qquad$ (hacer)
2. Siempre _____ la puerta cuando _____ mi Papá a casa.
    $\qquad$ (tocar) $\qquad\qquad\qquad$ (llegar)
3. Tú _____ mucho cuando eras niño pero anoche _____ la verdad.
    $\qquad$ (mentir) $\qquad\qquad\qquad$ (decir)
4. Ustedes nunca _____ el jogging en el parque, pero ayer sí _____
    $\qquad$ (hacer) $\qquad\qquad\qquad$ (correr)
    mucho.
5. Mi abuela _____ una sopa deliciosa anoche. En el pasado nos _____
    $\qquad$ (cocinar) $\qquad\qquad\qquad$ (hacer)
    sancocho.

C. Choose the correct verb in parentheses.
1. La semana pasada yo (conocí/conocía) a la estudiante nueva.
2. Mi amigo (sabía/supo) todas las respuestas antes del examen.
3. Nosotros (sabíamos/supimos) que no iba a ser posible.
4. Ellos se (conocieron/conocían) en la fiesta.
5. ¿Cuándo (supiste/sabías) esa información tan interesante?

Key to Quiz 9

A.
1. era
2. fue
3. eras
4. fueron
5. era

B. Supply the correct form of each verb in the preterit or the imperfect.
1. miraba, hacía
2. Tocaba, llegaba
3. mentías, dijiste
4. hacían, corrieron
5. cocinó, hacía

C. Choose the correct verb in parentheses.
1. conocí
2. sabía
3. sabíamos
4. conocieron
5. supiste

Lección 10

Optional Oral Exercises

A. Say which sport is practiced with each of the following items:

1. la espada
2. la red
3. las gafas
4. el monopatín
5. el balón
6. el cinturón
7. los patines
8. la raqueta
9. el bate
10. el uniforme

KEY

1. la esgrima
2. el voleibol
3. la natación
4. montar en monopatín
5. el fútbol
6. las artes marciales
7. el patinaje
8. el tenis
9. el béisbol
10. la gimnasia

B. Provide the correct form of the demonstrative pronoun for each word.

Aquí:
1. la pelota
2. las gafas
3. el zapato
4. los juguetes
5. los carros

Ahí:
6. el perro
7. los libros
8. el escritorio
9. los pantalones
10. las mesas

Allí:
11. las montañas
12. el mar
13. las casas
14. los caminos
15. la sierra

KEY

Aquí:
1. esta pelota
2. estas gafas
3. este zapato
4. estos juguetes
5. estos carros

Ahí:
6. ese perro
7. esos libros
8. ese escritorio
9. esos pantalones
10. esas mesas

Allí:
11. aquellas montañas
12. aquel mar
13. aquellas casas
14. aquellos caminos
15. aquella sierra

Key to Actividades

A. (Sample responses)

un bate y un guante	unas gafas
una pelota	una raqueta
unos esquíes	una red
un balón	unos guantes

B.
1. el ciclismo
2. el fútbol
3. la lucha libre
4. la natación
5. el boxeo
6. el béisbol

C. (Sample responses)
1. Un golpe de una persona que sabe karate puede romper una tabla de madera o un ladrillo.
2. La palabra «karate» quiere decir "mano vacía" en japonés.

3. En el karate se usa las manos, los pies, los codos y las rodillas.
4. Los budistas usaban originalmente el karate para defenderse de los animales salvajes.
5. Hoy día el karate es un deporte de competición.
6. Los principiantes llevan un cinturón blanco.
7. Muchas de las asociaciones de karate tienen reglas estrictas para evitar la violencia.
8. El estudiante debe demostrar su fuerza rompiendo dos o tres ladrillos con un golpe de pie.

Section 2

este   estos
esta   estas

ese   esos
esa   esas

aquel   aquellos
aquella   aquellas

D. 1. ¿Cuánto cuesta este guante?
2. ¿Cuánto cuesta este bate?
3. ¿Cuánto cuestan estos balones?
4. ¿Cuánto cuesta esta raqueta?
5. ¿Cuánto cuestan estas cestas?
6. ¿Cuánto cuestan estos cascos?
7. ¿Cuánto cuesta esta pelota?
8. ¿Cuánto cuestan estas bicicletas?

E. 1. Me gusta ese abrigo.
2. Me gusta esa sortija.
3. Me gustan esas gafas de sol.
4. Me gustan esos zapatos.
5. Me gusta ese reloj de pulsera.
6. Me gusta ese perfume.
7. Me gusta ese traje de baño.
8. Me gusta esa cadena de oro.

F. 1. ¡Mira aquel gigante!
2. ¡Mira aquellos músicos!
3. ¡Mira aquella muchacha!
4. ¡Mira aquellas banderas!
5. ¡Mira aquella banda!
6. ¡Mira aquellos soldados!
7. ¡Mira aquel coche!
8. ¡Mira aquellas flores!

G. 1. Voy a comprar este helado.
2. Voy a comprar aquellas sodas.
3. Voy a comprar ese pollo.
4. Voy a comprar esta carne.
5. Voy a comprar esas manzanas.
6. Voy a comprar aquellos huevos.
7. Voy a comprar esa crema.
8. Voy a comprar estos legumbres.
9. Voy a comprar aquel jugo.

H. 1. c. aquélla   5. b. aquéllos
2. b. ésta   6. c. ése
3. a. ése   7. b. éstas
4. c. ésas   8. b. éste

I. 1. este, ése   5. esta, aquélla
2. esos, aquéllos   6. Aquellos
3. estas   7. Esos, éstos
4. Esa, ésta   8. Ese, aquél

Preguntas Personales (Sample responses)

1. Sí. Practico el tenis.
2. En mi escuela hay equipos de fútbol, fútbol americano y béisbol.
3. Sé el karate.
4. Hoy día los deportes populares son el baloncesto y el fútbol.
5. Las muchachas deben participar en todos los deportes porque son fuertes y tienen talento.

Diálogo (Sample responses)

Quiero participar en el fútbol.
Juego al fútbol en un equipo en mi vecindario.
Me gustan el fútbol americano y el baloncesto.
Tengo las tardes después de la escuela para practicar.
Mis notas en la escuela son muy buenas.

Información Personal (Sample responses)

1. A mí me gusta mucho el fútbol.
2. Ese deporte es el deporte más popular en el mundo.
3. Yo creo que soy un buen jugador porque practico mucho.
4. El año pasado jugué en otro equipo y ganamos el campeonato.
5. Quiero jugar en el equipo de la escuela para contribuir mi talento.

Composición (Sample response)

Los fines de semana, muchos norteamericanos van a descansar al parque o a la playa. Allí juegan muchos deportes como el voleibol, el fútbol y el fútbol americano. También la gente nada y corre en la playa o en el parque. Participar en los deportes es una buena forma de mantener la buena salud y de descansar después de una semana larga de trabajo.

Para pensar (Sample responses)

1. Es el juego más rápido del mundo. Se originó en el País Vasco.
2. El juego se juega en una cancha de tres paredes. Un equipo tira la pelota con una de las paredes. El equipo gana un punto si el otro equipo no puede devolver la pelota.
3. Una cesta llamada «chistera» y una pelota.
4. La pelota de mano es similar, pero en el jai alai hay dos equipos con dos jugadores cada uno y se juega en una cancha con tres paredes.
5. Participamos porque son divertidas y entretenidas. El beneficio principal es el ejercicio, que es bueno para la salud.

Key to *Cuaderno* Exercises

A. el fútbol americano – un balón de fútbol americano

el fútbol– un balón de fútbol
el baloncesto – un balón de baloncesto
el patinaje – unos patines
las artes marciales – un uniforme
el atletismo – los zapatos de tenis
el tenis – una raqueta
el béisbol – un bate
el hockey – unos patines
la esgrima – una espada
la natación – un traje de baño
la gimnasia – un uniforme

B.

1. Este	5. esos	9. esta	
2. Aquel	6. estos	10. ese	
3. aquella	7. Esa		
4. Estas	8. Aquel		

C.

Esta	ésa	aquel
aquella	aquel	Esa
aquélla	ese	
ésta	éste	

D. **1.** No me gusto éste. Me gusto ése más.

2. No tengo que ir a ésa. Tengo ésta en cinco minutos.

3. Concozco a ésta. No conozco a ésa.

4. Oí que ésta es mejor que aquélla.

5. Terminé este. Todavía hay un problema con aquél.

Quiz 10

A. Fill in the blank with the correct form of the demonstrative adjective or pronoun.

1. _____ libros aquí son muy buenos.

2. ¿Cuál te gusta más? ¿_____ vestido aquí o _____ allí?

3. ¿Cuándo piensas hablar con _____ muchacho ahí?

4. Los niños juegan con _____ juguetes allí todos los días.

5. No quiero _____ carro ahí. Prefiero _____ allí.

6. _____ escuela aquí es la mejor en este estado.

7. La mayoría de los chicos conocen a _____ hombre aquí.

8. ¿Dónde están _____ pelotas? ¿Están allí debajo del árbol?

9. Mi amiga no va a _____ tienda ahí. Siempre va a _____ aquí.

10. El primo no estudia para _____ clase. Estudia para _____ porque es más difícil.

B. Write the correct form of the demonstrative pronoun.

1. ¿Te gusta esta camisa? No, me gusta _____ allí.

2. ¿Te gustan estos trajes de baño? No, me gustan _____ ahí.

3. ¿Te gusta ese cuadro ahí? No, me gusta _____ aquí.

4. ¿Te gustan aquellas flores allí? No, me gustan _____ aquí.

5. ¿Te gusta esta muchacha? No, me gusta _____ ahí.

Key to Quiz 10

A.
1. Estos
2. Este, aquél
3. ese
4. aquellos
5. ese, aquél
6. Esta
7. este
8. aquellas
9. esa, ésta
10. esa, ésta

B.
1. aquélla
2. ésos
3. éste
4. éstas
5. ésa

Repaso II
(Lecciones 6-10)

Key to Actividades

A. 1. Ayer Pepito despertó a las seis.
2. Se levantó de la cama inmediatamente.
3. Entró al baño a bañarse.
4. Se cepilló los dientes.
5. Salió del baño y se vistió.
6. Se peinó.
7. Después de vestirse se puso los zapatos y fue a desayunar.
8. Después del desayuno lavo los platos.
9. Le dijo «adiós» a su mamá y salió de la casa.

SPORTS

básquetbol	béisbol	tenis
boxeo	karate	lucha libre
fútbol	esquí	ciclismo
natación	volibol	

EQUIPMENT

bola	bate	balón
raqueta	esquí	

B.

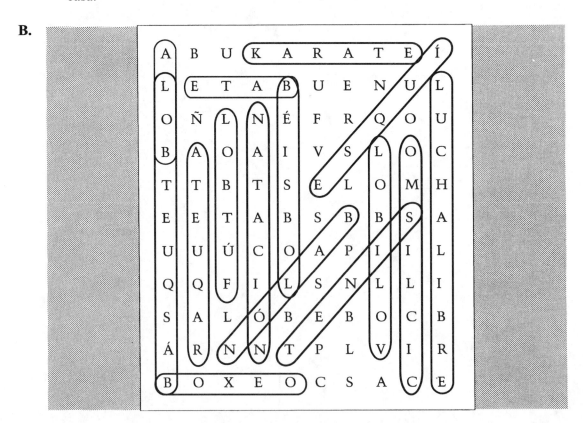

C. These people used to do different things during the summer. Complete the sentence under each picture, using the imperfect of the appropriate verb.

1. Rosa tomaba fotos.
2. Juanita y Julia jugaban al tenis.
3. El Sr. Gómez pescaba.
4. Tú montabas en bicicleta.
5. Uds. remaban en el lago.
6. Jorge jugaba al golf.
7. Nosotros hacíamos una caminata.
8. Yo esquiaba.

D. (Sample responses)

1. ¿Qué hora era?
   Eran las cuatro.
2. ¿Cómo era el carro?
   Era grande y nuevo.

3. ¿Cuál era el número de la placa?
   Era XL459.
4. ¿Tenía el ladrón la cara cubierta?
   No, no tenía la cara cubierta.
5. ¿Tenía barba o bigote?
   Tenía bigote.
6. ¿Llevaba sombrero?
   Sí, llevaba sombrero
7. ¿Cuántas personas había en el carro?
   Había una persona.
8. ¿Qué llevaba el ladrón en las manos?
   Llevaba una pistola y una bolsa.
9. ¿Qué vio el hombre con el periódico?
   No veo nada.
10. ¿Cuántas personas había en la calle? ¿Dónde estaban?
    Había siete personas. Caminaban por la acera.

E.

F. (Sample responses)
1. En la primera escena, hay una jueza. En la segunda escena, hay un juez.
2. En la primera escena, hay el testigo viejo y en la segunda, el testigo es joven.
3. En la primera escena, el fiscal tiene barba y tiene una pistola en mano. En la segunda escena, el fiscal no tiene barba y tiene unos papeles en mano.
4. En la primera escena, hay un policia sentado en frente y en la segunda, hay dos policias.
5. En la primera escena, el agente es flaco y en la segunda es gordo.
6. El acusado en la primera escena parece antipático. En la segunda escena, parece simpático.

G. (Sample response)

Me levanté tarde. Después de lavarme, me peiné con una mano y me cepillé los dientes con la otra. Cuando llegué a la parada de autobuses, mi autobús se había ido. Yo corrí detrás del autobús, pero no paró. ¡Lo siento mucho!

Tercera Parte
Lección 11

Optional Oral Exercises

A. Replace each word with a direct object pronoun

1. el paraguas
2. los abrigos
3. la blusa
4. la camisa
5. la chaqueta
6. la falda
7. la gorra
8. las medias
9. los zapatos
10. los calcetines
11. el chaleco
12. el suéter
13. el cinturón
14. la sudadera
15. los zapatos de tenis
16. la pijama
17. las batas de baño
18. la bata de casa
19. el saco de sport
20. las camisetas
21. el impermeable
22. las camisas de dormir
23. las botas
24. las zapatillas
25. el bolso
26. la bufanda
27. el dependiente
28. las clientes
29. el maniquí
30. el vestidor

KEY

1.	lo	9.	los	17.	las	25.	lo
2.	los	10.	los	18.	la	26.	la
3.	la	11.	lo	19.	lo	27.	lo
4.	la	12.	lo	20.	las	28.	las
5.	la	13.	lo	21.	lo	29.	lo
6.	la	14.	la	22.	las	30.	lo
7.	la	15.	los	23.	las		
8.	las	16.	la	24.	las		

Key to Actividades

A. (Sample responses)

1. ¿Te gusta este impermeable?
   Sí, necesito un impermeable.
2. ¿Quieres ese suéter?
   No, no me gusta.
3. ¿Te gusta ese abrigo?
   Sí, necesito uno para el invierno.
4. ¿Quieres esa cartera?
   No, no necesito una cartera.
5. ¿Te gusta este vestido?
   Sí, necesito un vestido para el baile.
6. ¿Te gustan esas botas?
   No, tengo botas en casa.
7. ¿Necesitas zapatos?
   No, no necesito zapatos.
8. ¿Quieres este chaleco?
   Sí, me gusta mucho.

B. (Sample responses)

Tomás lleva una camisa a rayas, pantalones de lana y zapatos de cuero ultramodernos.

Mario lleva una camisa de manga larga, una corbata de seda y un saco de sport de tres botones.

Dolores lleva una blusa a cuadros con un collar de raso, una falta corta y medias negras.

Sarita lleva un vestido de algodón de manga corta con zapatos cómodos.

C.
1. Liliana recibió doscientos dólares.
2. Hay una fiesta de Año Nuevo en casa de Blanquita.
3. Liliana quiere comprar un vestido nuevo.
4. Piensa encontrar el vestido que busca en la boutique francesa «Chez Fifi».
5. A Liliana no le gusta el vestido rojo porque le parece muy ordinario.
6. Según la vendedora, el vestido de seda azul es único.
7. Liliana no compra el vestido azul porque cuesta demasiado.
8. Liliana compra una blusa con minifalda para la fiesta.
9. Las tres amigas de Liliana se llaman Conchita, Lolita y Panchita.
10. Están tristes porque están vestidas exactamente igual.

D.
1. El doctor los examina.
2. Ellos lo traen.
3. No la veo.
4. No las escribimos.
5. El maestro la explica.
6. ¿Los compras?
7. La señora no las vende.
8. Lo tenemos aquí.

E.
1. Sí, los llevo.
2. Sí, lo llevo.
3. Sí, la llevo.
4. Sí, las llevo.
5. Sí, lo llevo.
6. Sí, la llevo.
7. Sí, las llevo.
8. Sí, los llevo.

F.
1. Sí, la invité.
2. Sí, los invité.
3. Sí, las invité.
4. Sí, los compré. ¿Compraste los helados de chocolate?
5. Sí, los preparé.
6. Sí, la hizo.
7. Sí, las tengo.
8. Sí, lo compré.

G. Yo también lo tomo para ir a la escuela.
Yo también los tengo.
Yo también las estudio.
Yo también lo toco muy bien.
Yo también la escucho todos los días.

H.
1. Mi madre me llamó hace una hora.
2. Nuestros abuelos siempre nos llevan al cine.
3. Tus amigos te visitan mucho.
4. Ud. la vio esta mañana.
5. Las invité a la fiesta.
6. ¿Uds. nos vieron en el partido de béisbol?
7. Mis padres no me comprenden.
8. ¿Tus padres te comprenden?

I. Repeat the following commands, replacing the noun by a direct-object pronoun.
1. Apréndela.
2. Estúdialos.
3. No la cierres.
4. Cómpralas.
5. Llámalo.
6. No la despiertes.
7. Escúchalo.
8. Léelos.
9. Hazlas.
10. No la prepares.

J.
1. Hágalas.; Las voy a hacer.
2. Lávelo.; Lo voy a lavar.
3. Léalo.; Lo voy a leer.
4. Cómalas.; Las voy a comer.
5. Ábrala.; La voy a abrir.
6. Llámelo.; Lo voy a llamar.
7. Cómpralos.; Los voy a comprar.
8. Sírvala.; La voy a servir.
9. Escríbalas.; Las voy a escribir.
10. Tráigalo.; Lo voy a traer.

K. (Sample responses)
1. Sí, las escuché.
2. No. No lo vi.
3. Sí. Lo leí.
4. Sí, las vi.
5. Sí, lo quiero visitar.
6. No. No la terminé.
7. No. No lo miré.
8. Sí. Las voy a comprar.
9. No. No la conocí.

Preguntas Personales (Sample responses)

1. Para ir a una fiesta elegante, me pongo un vestido largo de seda y zapatos elegantes.
2. Para ir a la escuela, llevo una camisa de manga larga y pantalones.
3. En mi último cumpleaños recibí una chaqueta de cuero.
4. Compro ropa nueva en la primavera.
5. La última vez que fui de compras, compré una bufanda y una gorra de lana.

Diálogo (Sample responses)

Necesito comprar una blusa elegante.
La quiero azul.
¿Cuánto cuesta?
Necesito unas medias también.

Información Personal (Sample responses)

1. una chaqueta de cuero
2. un chaleco a rayas
3. un saco de sport marrón
4. unos zapatos de tenis ultramodernos
5. un suéter de lana negro

Para pensar (Sample responses)

1. Algunas personas usan prendas de vestir de determinado color según la fecha o la actividad.
2. Prosperidad y amor.
3. El día de la boda, llevan algo viejo y algo prestado.
4. Se visten de blanco.
5. Por lo general, la gente en los E.U. es muy independiente en su estilo de vestir.

Key to *Cuaderno* Exercises

A. (Sample responses)

Luz:	*Miguel:*
una camisa	un abrigo
una falda	un suéter de lana
unas camisetas	una bufanda
unas botas	unos pantalones
unos pantalones cortos	unas camisas
un par de pantalones	una gorra

B.
1.	Sí, lo tengo.	6.	Sí, los tengo.
2.	Sí, los tengo.	7.	Sí, las tengo.
3.	Sí, lo tengo.	8.	Sí, las tengo.
4.	Sí, la tengo.	9.	Sí, lo tengo.
5.	Sí, la tengo.	10.	Sí, la tengo.

C.
te	Te	Te
Me	me	Me
Los	Te	Te
me	me	Nos

D.
1. ¡Sácalas!
2. ¡Mírala!
3. ¡Dóblala!
4. ¡Juégalas!
5. ¡Léelo!
6. ¡Cómelas!
7. ¡Contéstala!
8. ¡Mándalo!
9. ¡Estúdiala!
10. ¡Dibújalas!

E.
1. Visítalo
   Sí, lo voy a visitar.
2. Juégalo.
   Sí, lo voy a jugar.
3. Léelo.
   Sí, lo voy a leer.
4. Baílala.
   Sí, la voy a bailar.
5. Cómela.
   Sí, la voy a comer.

Quiz 11

A. Answer each question in the affirmative by replacing the direct object with a pronoun.
1. ¿Comes helado frecuentemente?
2. ¿Bailas salsa?
3. ¿Escuchas la radio a menudo?
4. ¿Tomas gaseosa?
5. ¿Lees novelas de acción?
6. ¿Estudias español?
7. ¿Compras regalos en esa tienda?
8. ¿Cantas canciones en la ducha?
9. ¿Mandas cartas por correo?
10. ¿Pides ayuda con tu tarea?

B. Your teacher commands you to do the following things:
1. explicar la lección
2. revisar las notas
3. mirar los experimentos
4. contar los libros
5. limpiar la pizarra
6. arreglar los escritorios
7. barrer el suelo
8. copiar los apuntes
9. estudiar el capítulo
10. investigar el tema

KEY to Quiz 11

A.
1. Sí, lo como frecuentemente.
2. Sí, la bailo.
3. Sí, la escucho a menudo.
4. Sí, la tomo.
5. Sí, las leo.
6. Sí, lo estudio.
7. Sí, los compro en esa tienda.
8. Sí, las canto en la ducha.
9. Sí, las mando por correo.
10. Sí, la pido.

B.
1. Explícala.
2. Revísalas.
3. Míralos.
4. Cuéntalos.
5. Límpiala.
6. Arréglalos.
7. Bárrelo.
8. Cópialos.
9. Estúdialo.
10. Investígalo.

Lección 12

Optional Oral Exercises

A. Replace each word with an indirect-object pronoun

1.	los chicos	**6.**	el hijo
2.	la familia	**7.**	el plomero
3.	los científicos	**8.**	la doctora
4.	María y Juan	**9.**	las ingenieras
5.	la profesora	**10.**	las madres

KEY

1.	les	**5.**	le	**9.**	les
2.	le	**6.**	le	**10.**	les
3.	les	**7.**	le		
4.	les	**8.**	le		

B. Answer each question using an indirect object pronoun.
1. ¿Mandaste la carta a Evelyn?
2. ¿Diste el mensaje a Pedro?
3. ¿Mandaron los regalos a las niñas?
4. ¿El taxista cobró a los pasajeros?
5. ¿Dijiste algo a tu novia?

KEY

1. Sí, le mandé la carta.
2. Sí, le di el mensaje.
3. Sí, les mandamos los regalos.
4. Sí, les cobró.
5. Sí, le dije algo.

Key to Actividades

A.
1. Mira el semáforo.
2. Mira la parada de autobús.
3. Mira la cabina telefónica.
4. Mira la moto.
5. Mira la bicicleta.
6. Mira el taxi.
7. Mira el autobús.
8. Mira la patrulla de policía.
9. Mira el letrero.
10. Mira la luz.

B. (Sample responses)
1. ¿Adónde va el muchacho?
   Va a la escuela.
2. ¿Adónde va la policía?
   Va a la patrulla.
3. ¿Adónde va el cura?
   Va a la iglesia.
4. ¿Adónde va el cartero?
   Va al correo.
5. ¿Adónde va la enfermera?
   Va al hospital.
6. ¿Adónde va la mujer?
   Va al supermercado.
7. ¿Adónde va el bombero?
   Va a la estación de bomberos.
8. ¿Adónde va el pasajero?
   Va al aeropuerto.
9. ¿Adónde va el muchacho?
   Va al parque.

Pepita aprende a manejar (Sample responses)

1. Pepita va a recibir un carro.
2. Antes de comprarlo, el padre de Pepita decidió darle unas clases de manejar.
3. Antes de la clase, Pepita está muy nerviosa porque su padre le habla continuamente.
4. Su padre le muestra las diferentes partes del automóvil.
5. Pepita maneja bien.
6. Pepita debe prestar atención a las señales de tránsito.
7. El padre les grita a los otros choferes «¡cuidado!».
8. Al final de la clase Pepita está exhausta y más nerviosa.
9. El policía le dice al papá de Pepita que él necesita unas clases de manejar.
10. El policía le pone una multa.

C. En la primera escena, hay una bicicleta. En la segunda, hay una moto.
En la primera escena, maneja una mujer y en la segunda, un hombre.
En la primera escena, hay un letrero, pero no en la segunda.
En la primera escena, hay un taxi detrás de una bicicleta. En la segunda, hay un carro detrás de una moto.
En la primera escena, la víctima está acostado pero en la segunda, está parado.
En la primera escena, se ve donde cruzar la calle, pero no en la segunda escena.

D.
1. La maestra les enseña la lección.
2. El Sr. Pérez le da flores.
3. El policía le pone una multa.
4. José les hace una pregunta.
5. Les muestro mi carro nuevo.
6. Mi papá le compró un regalo.
7. El abuelo les cuenta historias.
8. Mi hermano le presta su bicicleta.
9. La vendedora le vendió un vestido.
10. Ud. les da trabajo.

E.
1. Sí, regálale esa bufanda.
2. Sí, mándales esa tarjeta.
3. Sí, cómprales esos discos.
4. Sí, escríbeles esas tarjetas.
5. Sí, mándale aquella tarjeta.
6. Sí, cómprale este juguete.

F.
1. Yo también les necesito hablar.
2. Yo también le quiero escribir una carta.
3. Yo también les debo servir refrescos.
4. Yo también le voy a prestar mi bicicleta.
5. Yo también les quiero dar unos discos.
6. Yo también le voy a hacer una pregunta.

G.
1. Les prepara carne con papas a mis hermanos.
2. Le prepara flan a mi abuela.
3. Les prepara pollo a mis tías.
4. Le prepara pescado a mi hermana.
5. Le prepara legumbres a mi abuelo.

H. (Sample responses)
1. Te daré el dinero el lunes.
2. Nos dieron mucha tarea hoy.
3. Sí, te ayudo con el trabajo.
4. Sí, puedo explicarte la lección.
5. Mi madre me compró esa bicicleta.
6. Mis padres me dieron unos discos.
7. Mi amiga nos dio la noticia.
8. Me preguntó donde vivía.

I.

1. le	4. les	7. nos
2. les	5. le	8. te
3. te	6. me	9. me

J.
1. El camarero nos trajo el menú.
2. Mi madre le dijo: «Tráigame un sándwich».
3. El camarero le respondió: «Lo siento, pero a esta hora no les puedo servir sándwiches».
4. «¿Qué nos puede servir? » mi madre le preguntó.
5. No nos gustó nada.
6. Salimos y mi madre le dijo a mi padre: «Te dije que este restaurante es malo».

Preguntas Personales (Sample responses)

1. En caso de emergencias, los paramédicos me pueden ayudar.
2. Voy al hospital si tengo una enfermedad seria.
3. Viajo en autobús por mi ciudad.
4. Es preferible ir de compras en un supermercado porque allí hay de todo.
5. Las ventajas de los rascacielos son: la altura y la belleza. Una desventaja es el peligro.

Información Personal (Sample response)

Para ir a la escuela, voy en autobús. Para viajar por la ciudad, prefiero usar el metro o un taxi. Los fines de semana, voy a muchas fiestas. A veces voy en el carro de mi amigo, a veces pido el carro de mis padres.

Composición (Sample response)

En mi ciudad, hay muchos rascacielos y edificios grandes. Un ventaja de vivir en una ciudad grande es que hay muchas tiendas, supermercados y lugares para ir de compras. También hay muchos cines, parques y otros lugares interesantes. Pero, la desventaja es el tráfico. Por eso, me gustar tomar el metro para viajar por la ciudad.

Diálogo (Sample responses)

Buenos días.
Voy al museo de arte.
No. Está bien.
Hay un accidente. ¿Ve Ud. a los policías y el semáforo roto?
¡Tranquilo! ¡No tengo prisa!
Ahora sí tengo prisa...

Para pensar (Sample responses)

1. Tenochtitlán estaba construída sobre pequeñas islas en el Lago Texcoco.
2. Estaba al lado de los volcanes.
3. La capital de México es México, D.F. D.F. significa Distrito Federal.
4. Es la ciudad con la concentración urbana más grande del mundo.
5. No, no son demasiado grandes. Una solución puede ser el control de la población.

Key to *Cuaderno* Exercises

A.
1. j. la acera
2. a. el rascacielos
3. e. el cine
4. i. la cabina telefónica
5. c. el metro
6. b. la parada
7. d. la avenida
8. h. el supermercado
9. g. el banco
10. f. el aeropuerto

B. (Sample responses)
1. Le compro regalos en el centro comercial.
2. Les mando cartas cada mes.
3. Les cuento secretos todos los días.
4. Les sirvo almuerzo de vez en cuando.
5. Les doy consejos cada semana.

C.
1. Estúdiala.
2. Búscala.
3. Investígalo.
4. Córtalo.
5. Dibújala.
6. Pégalos.
7. Decóralo.
8. Escríbelo.
9. Memorízala.
10. Entrégalo.

D.
Me	Te, me	me
Te, me	me	
Me	Nos, Nos	

Quiz 12

A. Rewrite each sentence by replacing the words in italics with an indirect object pronoun.
1. Escribimos las cartas *a los primos*.
2. Mandamos las pruebas *a las autoridades*.
3. Doy unos regalos *a los niños* todos los cumpleaños.
4. ¿Prestaste tu libro *a Martín* otra vez?
5. Servimos sopa *a los abuelos* cada viernes.
6. Pedimos la cuenta *al camarero*.
7. La profesora enseña la lección *a los estudiantes*.
8. Hago un señal *al policia*.
9. Muestran los cuadros *a las muchachas*.
10. Compra flores *a su esposa* todos los años.

B. Tell your little sister to do these things:
1. Hacer / una pregunta a mamá
2. Contar / un chiste a su amiga
3. Prestar / un dólar a mi
4. Tirar / la pelota a papá
5. Servir / un sandwich a mis amigos

Key to Quiz 12

A.
1. Les escribimos las cartas.
2. Les mandamos las pruebas.
3. Les doy unos regalos todos los cumpleaños.
4. ¿Le prestaste tu libro otra vez?
5. Les servimos sopa cada viernes.
6. Le pedimos la cuenta.
7. La profesora les enseña la lección.
8. Le hago un señal.
9. Les muestran los cuadros.
10. Le compra flores todos los años.

B. Tell your little sister to do these things:
1. Házle una pregunta.
2. Cuéntale un chiste.
3. Préstale un dólar.
4. Tírale la pelota.
5. Sírveles un sándwich.

Lección 13

Optional Oral Exercises

A. Repeat each noun with the definite article.

1. curitas
2. receta
3. papel higiénico
4. pañuelos de papel
5. cepillo de dientes
6. termómetro
7. desodorante
8. jabón
9. algodón
10. vendas

KEY

1. las curitas
2. la receta
3. el papel higiénico
4. los pañuelos de papel
5. el cepillo de dientes
6. el termómetro
7. el desodorante
8. el jabón
9. el algodón
10. las vendas

B. Now replace each word from Activity A with a direct-object pronoun.

KEY

1. las
2. la
3. lo
4. los
5. lo
6. lo
7. lo
8. lo
9. lo
10. las

Key to Actividades

A.
1. jabón
2. pasta de dientes
3. desodorante
4. un cepillo de dientes
5. unas curitas
6. un peine
7. papel higiénico
8. un paquete de algodón

B. (Sample responses)
1. Ud. necesita un antibiótico.
2. Ud. necesita jarabe para la tos.
3. Ud. necesita unas aspirinas.
4. Ud. necesita una cura y el yodo.
5. Ud. necesita unas vitaminas.
6. Ud. necesita una receta para pastillas especiales.

C. (Sample responses)
1. Hay anuncios comerciales en los periódicos, las revistas, la televisión y en la carteleras.
2. Los anuncios nos dicen qué debemos comer, beber, llevar y comprar.
3. Muchos niños aprenden las melodías y la letra de los anuncios.
4. Los automóviles que ofrece el anuncio son económicos y modernos.
5. Para verlos o comprarlos, uno debe ir a un lote de carros usados.
6. Uno necesita poco dinero para vivir bien.
7. En el anuncio, el hombre iba por el mundo con la boca cerrada para no mostrar sus dientes.
8. La fórmula secreta de la pasta de dientes deja los dientes brillantes y el aliento agradable.
9. En mi anuncio de televisión favorito, hay unos animales que bailan y cantan.

D.
1. Sí, te lo compro.
2. Sí, te lo traigo.
3. Sí, te lo enseña.
4. Sí, me los compró.
5. Sí, me las vendieron.
6. Sí, te lo cuento.
7. Sí, te lo presto.
8. Sí, nos la dijo.
9. Sí, te los muestro.
10. Sí, nos la presta.

E.
1. Sí, un cartero se las lleva.
2. Sí, un ladrón se las roba.
3. Sí, un mesero se la sirve.
4. Sí, una vendedora se la vende.
5. Sí, una profesora se lo enseña.
6. Sí, un banco se lo presta.
7. Sí, una abuela se las lee.
8. Sí, un consejero se los da.
9. Sí, un policía se las pone.
10. Sí, un turista se las escribe.

F.
1. No. No se lo conté.
2. No. No se lo expliqué.
3. No. No se lo di.
4. No. No se los presté.
5. No. No se lo serví.
6. No. No se la mandé.
7. No. No se la escribí.
8. No. No se las di.

G.
1. Sí, se lo di a Manuel.
2. Sí, se los di a Ud.
3. Sí, se lo di a Juan y a Javier.
4. Sí, se los di a los alumnos.
5. Sí, se la di a Mercedes.
6. Sí, se las di a todos.

H.
1. Cómpratelo.
2. Escríbesela.
3. Muéstraselas.
4. Léemelo.
5. Dáselo.
6. Házmelas.
7. Cuéntamelo.
8. Cómpratelos.

I.
1. Sí, debes comprársela. Sí, se la debes comprar.
2. Sí, debes comprártelo. Sí, te lo debes comprar.
3. Sí, debes comprárselos. Sí, se los debes comprar.
4. Sí, debes comprármelo. Sí, me lo debes comprar.
5. Sí, debes comprárselo. Sí, se lo debes comprar.
6. Sí, debes comprárselos. Sí, se los debes comprar.
7. Sí, se las debes comprar. Sí, debes comprárselas.
8. Sí, debes comprártelo. Sí, te lo debes comprar.

J.
1. Necesito una bicicleta nueva.
2. Por qué no te la compras?
3. No tengo suficiente dinero para comprármela.
4. Tus padres te la pueden comprar.
5. Ellos dicen que no la necesito.
6. No me quieren dar el dinero.
7. Mis abuelos me la pueden comprar.
8. Si te la compran, ¿me la puedes prestar?

Preguntas Personales (Sample responses)

1. Algunos anuncios son más efectivos que otros por su forma de explicar el producto.
2. Los anuncios pueden informar a la gente sobre productos útiles.
3. No compro todos los productos que veo en los anuncios de la televisión porque hay millones de productos y no los necesito todos.
4. Los antibióticos ayudan a combatir las enfermedades.
5. Cuando tengo gripe, compro un jarabe para la tos.

Información Personal (Sample responses)

1. (a) Le explico la lección a mi amiga.
   (b) Se la explico.
2. (a) Les mando regalos a mis primos.
   (b) Se los mando.
3. (a) Les sirvo desayuno a mis padres.
   (b) Se lo sirvo.
4. (a) Le presto una pluma a mi compañero de clase.
   (b) Se la presto.
5. (a) Le compro mucha ropa a mi hermano.
   (b) Se la compro.

Composición (Sample response)

Compra el mejor jarabe para el resfriado – ¡SUPERJARABE! Viene en varios sabores de frutas: naranja, fresa, uva y limón. Este jarabe te ayudará a sentirte mejor en minutos. ¿Tienes tos? ¿Tienes dolor de garganta? ¿Tienes fiebre? ¡Toma SUPERJARABE ahora!

K. 1. Yo estudio con ella.
   2. ¿Quieres trabajar para él?
   3. Siempre hablan de ellas.
   4. No salgas sin ella.
   5. Enrique se sienta detrás de ella.
   6. El gato está debajo de ella.
   7. El avión vuela sobre ellos.
   8. Mi hermana quiere vivir lejos de nosotros.

L. 1. Sí, es para ella.
   2. Sí, son para nosotros.
   3. Sí, es para mi.
   4. Sí, son para él.
   5. Sí, son para ustedes.
   6. Sí, es para ellos.

M. 1. No quiero ir con ella.
   2. No quiero jugar con él.
   3. No quiero ir con Uds.
   4. No quiero ir contigo.
   5. No quiero nadar con ellas.
   6. No quiero jugar con ellos.

N. (Sample responses)
   1. Sí. Voy a salir con ella.
   2. No. No puedes salir con nosotros.

3. Mi amiga se sienta delante de mí.
4. No. No puedes ir conmigo a la escuela.
5. No. No quiero ir contigo al cine.
6. Sí, puedo devolver este libro a la biblioteca por ti.
7. Sí, compré esa camiseta para mí.
8. Sí. Voy a salir sin tí.

Diálogo (Sample responses)

Sí, las uso.
Sí, se las recomiendo.
Bueno. La puedo probar.
Uso papel higiénico y pañuelos de papel.
Sí, me interesan.

Para pensar (Sample responses)

1. Es una persona que cura a los enfermos con remedios caseros.
2. Porque no hay muchos hospitales o doctores.
3. Hay tres tipos: la partera ayuda a las mujeres durante el parto; el yerbero trata a los enfermos con plantas y productos naturales y el sobador se especializa en masajes.

4. Sí, porque las medicinas se basan en productos naturales.
5. Sopa de pollo, té de naranja.

Key to *Cuaderno* Exercises

A. (Sample responses)
1. papel higiénico
2. pañuelos de papel
3. desodorante
4. jabón
5. vendas
6. pasta de dientes
7. aspirinas
8. curitas
9. yodo
10. antibióticos

B. (Sample responses)
1. Sí, te la presto.
2. Sí, te la explico.
3. Claro, me lo puedes contar.
4. Sí nos las escribimos.
5. Sí. Mándamelo.

C.
1. Rodrigo se la canto.
2. Luz se las escribió.
3. Juan y Mario se lo dieron.
4. La empleada se lo vendió.
5. El maestro se la contó.
6. Mi amiga me lo compró.
7. Ellos se lo mandaron.
8. Nosotros se la trajimos.
9. Él se lo prestó.
10. Los muchachos se las mostraron.

D.
1. ¡Cántasela!
2. ¡Escríbeselas!
3. Dénselo!
4. ¡Véndeselo!
5. ¡Cuéntesela!
6. ¡Cómpramelo!
7. ¡Mándaselo!
8. ¡Tráigansela!
9. ¡Préstaselo!
10. ¡Muéstraselas!

E.
1. Sí, está cerca de ella.
2. Sí, José va a pelear con él.
3. Sí, Martica vive debajo de ella.
4. Sí, yo lejos de él.
5. Sí, nosotros caminamos hacia ella.
6. Sí, hago la tarea por ella.
7. Sí, vamos a la tienda sin ellos.
8. Sí, esta es la casa de ella.
9. Sí, hay que hablar con ellos.
10. Sí, compramos este regalo para ellos.

Quiz 13

A. Your father asks you if you loaned the following items to your classmates. Respond affirmatively.

1. el cuaderno / Rafael
2. el uniforme de karate / Josefa
3. la pelota de béisbol / los chicos
4. los balones / el capitán del equipo
5. las plumas / las estudiantes nuevas
6. la mochila / tu hermana
7. el papel de colores / Mirasol y Ximena
8. los apuntes de la clase / tus compañeros
9. dinero / ellos

B. Ask your sister to do the following things.

1. servir / la cena / a la familia
2. comprar / un regalo / para mí
3. mandar / un paquete / a la tía Rosa
4. escribir / un reporte / para mí
5. prestar / diez dólares / a mi amigo
6. dar / la tarea / a los primos
7. explicar / un problema / a mamá
8. contar / una mentira / a papá
9. leer / unos libros / a los bebés
10. vender / sus faldas nuevas / a las compañeras

Key to Quiz 13

A.
1. Sí, se lo presté a Rafael.
2. Sí, se lo presté a Josefa.
3. Sí, se la presté a los chicos.
4. Sí, se los presté al capitán del equipo.
5. Sí, se las presté a las estudiantes nuevas.
6. Sí, se la presté a mi hermana.
7. Sí, se lo presté a Mirasol y Ximena.
8. Sí, se los presté a mis compañeros.
9. Sí, se lo presté a ellos.

B.
1. Sírvesela.
2. Cómpramelo.
3. Mándaselo.
4. Escríbemelo.
5. Préstaselos.
6. Dásela.
7. Explícaselo.
8. Cuéntasela.
9. Léeselos.
10. Véndeselas.

Lección 14

Optional Oral Exercises

A. Say the number along with each item:

1.	50 cortinas	**6.**	100 camas
2.	25 butacas	**7.**	200 neveras
3.	30 alfombras	**8.**	12 microondas
4.	7 secadoras	**9.**	70 espejos
5.	15 hornos	**10.**	90 cómodas

KEY

1.	cincuenta cortinas	**6.**	cien camas
2.	veinticinco butacas	**7.**	doscientas neveras
3.	treinta alfombras	**8.**	doce microondas
4.	siete secadoras	**9.**	setenta espejos
5.	quince hornos	**10.**	noventa cómodas

B. Say the order in which you viewed these items in the store:

1.	1° libreros	**7.**	7° camas
2.	2° estantes	**8.**	8° lavadoras
3.	3° escritorios	**9.**	9° refrigeradores
4.	4° floreros	**10.**	10° mesitas de cafés
5.	5° alfombras		
6.	6° juegos de comedor		

KEY

1. Primero, vimos unos libreros.
2. Segundo, vimos unos estantes.
3. Tercero, vimos unos escritorios.
4. Cuarto, vimos unos floreros.
5. Quinto, vimos unas alfombras.
6. Sexto, vimos unos juegos de comedor.
7. Séptimo, vimos unas camas.
8. Octavo, vimos unas lavadoras.
9. Noveno, vimos unos refrigeradores.
10. Décimo, vimos unas mesitas de café.

Key to Actividades

A.

En la cocina hay:	*En la cocina no hay:*
una nevera	una lavadora
una estufa	un florero
un microondas	una lámpara
un lavaplatos	un estante para libros
una mesa de cocina	un espejo
un teléfono	una mesita de noche
	un escritorio

B. (Sample responses)

1. Anita quiere comprar muebles nuevos porque sus muebles son viejos.
2. Hay una venta especial en «La Casa Elegante».
3. Los muebles de dormitorio están en el primer piso.
4. El juego de muebles que le gustó a Anita cuesta quinientos cincuenta dólares.
5. En el segundo piso hay muebles de sala.
6. Anita quiere comprar un sofá, dos butacas y una mesita en el segundo piso.
7. Anita quiere un juego con seis sillas para el comedor.
8. Todo lo que compran cuesta mil trescientos ochenta y nueve dólares.

9. Ricardo tiene que pagar quinientos dólares por ahora.
10. Con el trato especial del vendedor, Ricardo paga mil setecientos sesenta dólares con el trato especial del vendedor.

C. 1. Doctor López, su cuarto es el doscientos trece.
    2. Srta. Gómez, su cuarto es el trescientos cuatro.
    3. Sr. y Sra. Pérez, su cuarto es el quinientos veintiuno.
    4. Doctora Peláez, su cuarto es el cuatrocientos diecisiete.
    5. Srta. Casas, su cuarto es el setecientos cuarenta y cinco.
    6. Sres. Ramos, su cuarto es el ciento treinta y dos.
    7. Sra. Montes, su cuarto es el ochocientos sesenta y seis.
    8. Srta. Gallo, su cuarto es el novecientos uno.
    9. Sr. Torres, su cuarto es el seicientos cincuenta y ocho.

D. 1. 184   5. 523   9. 120.000
    2. 256   6. 1.550   10. 100.340
    3. 489   7. 3.910
    4. 815   8. 10.730

E. 1. mil setecientos setenta y seis
    2. mil quinientos doce
    3. mil setecientos treinta y dos
    4. mil ochocientos diez
    5. mil novecientos cuarenta y cinco
    6. dos mil uno

F. 1. quinientas
    2. mil cuatrocientos
    3. setecientas cincuenta
    4. cien mil
    5. trescientos sesenta y cinco

6. ochocientas setenta y dos
7. seiscientas ochenta
8. doscientos cincuenta millones

G. 1. veintiún
    2. cincuenta y un
    3. treinta y una
    4. sesenta y un
    5. cuarenta y una
    6. setenta y una

H. 1. La Sra. Martínez necesita trescientos cincuenta mil cien pesos mexicanos.
    2. La Srta. Gómez necesita ocho mil seiscientos setenta y una pesetas.
    3. El Sr. Pérez necesita novecientos ochenta y nueve dólares.
    4. El Sr. Ramos necesita veinticinco mil quinientos pesos colombianos.
    5. La Sra. Vélez necesita diez mil cuatrocientos treinta y un colones.
    6. El Doctor Villa necesita cinco mil quinientos quetzales.

I. 1. La ropa de hombre está en el octavo piso.
    2. La ropa de mujer está en el quinto piso.
    3. Los televisores están en el noveno piso.
    4. La cafetería está en el segundo piso.
    5. Los zapatos están en el tercer piso.
    6. Las toallas están en el sexto piso.
    7. Los sombreros están en el primer piso.

J. 1. Jorge fue el tercero.
    2. María fue la quinta.
    3. Raúl fue el segundo.
    4. Mercedes fue la cuarta.
    5. Josefina fue la octava.
    6. Mario fue el noveno.
    7. Elisa fue la séptima.
    8. Miguel fue el sexto.

Diálogo (Sample responses)

Busco unos muebles.
Puedo gastar quinientos dólares.
Quiero comenzar con la sala.
Me gusta esa butaca.
¡No lo puedo creer! ¡Es muy caro!

Preguntas Personales (Sample responses)

1. En la sala de mi casa hay una butaca, una mesa, y un estante para libros.
2. Es mejor comprar cosas al contado. Una ventaja de comprar a crédito es que no hay que cargar con el dinero. Una desventaja es que se gasta dinero demasiado fácilmente.
3. Un tacaño es una persona que no quiere gastar dinero. Soy tacaña cuando compro ropa.

4. Cuando compro algo, pago ocho por ciento de impuesto.
5. Con mil dólares puedo comprar una cama nueva.

Información Personal (Sample responses)

1. Voy a terminar la escuela superior en al año dos mil veinte.
2. Tengo un televisor que costó doscientos dólares.
3. El carro que más me gusta cuesta treinta y cinco mil dólares.
4. Estoy en el tercer año de español.
5. Yo nací en el año mil novecientos noventa.

Composición (Sample response)

En mi habitación hay una cama, unas cortinas de rayas, un espejo y una cómoda para mi ropa. Compré la cama en el año dos mil cinco y la cómoda el año pasado. La cama costó cien dólares. La cómoda costó doscientos dólares. Me gustan todos los muebles en mi cuarto porque todo es verde – ¡mi color favorito!

Para pensar (Sample response)

1. La provincia de Esmeralda está al norte de Ecuador.
2. La comunidad mencionada en la lectura se distingue por su autosuficiencia.
3. Algunos ejemplos de la autosuficiencia de los campesinos de Esmeralda son: casa construidas con bambú, la falta de muebles, y la gente hace su propias sábanas y almohadas.
4. Los muebles no son necesarios. Uno puede vivir sin tantas cosas en la vida.
5. Debemos ser más responsables.

Key to *Cuaderno* Exercises

A. *el dormitorio:* la cama, la mesita de noche, la cómoda
   el baño: el espejo, las cortinas, el florero
   la oficina: el estante para libros, el escritorio, la lámpara
   la cocina: el microondas, la estufa, el horno
   la sala: la butaca, la alfombra, el sillón
   el garaje: el estante, la secadora, la lavadora

B. 1. El sillón cuesta trescientos dólares.
   2. La butaca cuesta quinientos dólares.

3. El espejo cuesta ciento cincuenta dólares.
4. La cómoda cuesta cuatrocientos setenta y cinco dólares.
5. La alfombra cuesta seiscientos quince dólares.
6. El juego de comedor cuesta mil doscientos veinticinco dólares.
7. El escritorio cuesta doscientos noventa y cinco dólares.
8. La lámpara cuesta cuarenta y cinco dólares.
9. El estante para libros cuesta ciento treinta dólares.
10. La cama cuesta cuatrocientos veinticinco dólares.

C.
1. Un siglo tiene cien años.
2. Un año tiene cincuenta y dos semanas.
3. Una semana tiene siete días.
4. Un día tiene veinticuatro horas.
5. Una hora tiene sesenta minutos.

D.
1. Tengo cuarenta y un discos de música rap.
2. Tengo veintiún discos de música latina.
3. Tengo treinta y un discos de música rap.
4. Tengo un disco de música clásica.
5. Tengo once discos de música rock.

E.
2. GUILLERMINA: El segundo período yo tengo Estudios Sociales.
   MANUEL: ¡Yo también!
3. GUILLERMINA: El tercer período yo tengo Español.
   MANUEL: El tercer período yo tengo Educación Física.
4. GUILLERMINA: El cuarto período yo tengo Matemáticas.
   MANUEL: El cuarto período yo tengo Inglés.
5. GUILLERMINA: El quinto período yo tengo Arte.
   MANUEL: El quinto período yo tengo Ciencias.
6. GUILLERMINA: El sexto período yo tengo Inglés.
   MANUEL: El sexto período yo tengo Matemáticas.
7. GUILLERMINA: El séptimo período yo tengo Música.
   MANUEL: ¡Yo también!
8. GUILLERMINA: El octavo período yo tengo Educación Física.
   MANUEL: El octavo período yo tengo Español.

Quiz 14

A. Add the following numbers and write out the equation in words.

1. $54 + 67 =$
2. $900 + 450 =$
3. $690 + 428 =$
4. $1003 + 4501 =$
5. $43.080 + 71.000 =$

B. Say on which day of the week you do the following activities. (¡OJO! — the first day of the week is lunes (1), the second is martes (2), etc.)

1. hacer la tarea de matemáticas (martes)
2. comprar comida para la semana (lunes)

3. mandar correo electrónico (jueves)
4. jugar fútbol (miércoles)
5. descansar (domingo)

Key to Quiz 14

A. **1.** $54 + 67 = 121 \rightarrow$ Cincuenta y cuatro más sesenta y siete son ciento veinte y uno.
  2. $900 + 450 = 1350 \rightarrow$ Novecientos más cuatrocientos cincuenta son mil trescientos cincuenta.
  3. $690 + 428 = 1118 \rightarrow$ Seiscientos noventa más cuatrocientos veintiocho son mil ciento dieciocho.
  4. $1003 + 4501 = 5504 \rightarrow$ Mil tres más cuatro mil uno son cinco mil quinientos cuatro.
  5. $43.080 + 71.000 = 114.080 \rightarrow$ Cuarenta y tres mil ochenta más setenta y un mil son ciento catorce mil ochenta.

B. **1.** Hago la tarea de matemáticas el segundo día.
  2. Compro comida para la semana el primer día.
  3. Mando correo electrónico el cuarto día.
  4. Juego fútbol el tercer día.
  5. Descanso el séptimo día.

Repaso III
(Lecciones 11-14)

Key to Actividades

A. **1.** Hay que cruzar en el medio de la calle.
    2. Hay un cartero dirigiendo tráfico.
    3. Hay una policía trabajando con el correo.
    4. El letrero en el estadio dice «supermercado».
    5. La estación del tren dice «parada de autobús».
    6. La patrulla tiene un letrero de taxi.
    7. La gente espera montar el camión.

B. camiseta
    cartera
    zapatillas
    botas de goma
    pijama
    Carmen compró un **impermeable.**

C.

D.

E. Hoy sale Carlos de viaje para España. Ayer puso todas sus *camisas, pantalones, suéteres, camise-tas* y *zapatos* sobre la cama para decidir qué llevaba. Como no sabe si va a *llover*, decidió llevar también su *impermeable, paraguas* y sus *botas*. Lleva también dos *pijamas*, sus *zapatillas* y una *bata*. Del *baño* sacó el *desodorante*, un *jabón*, un *cepillo de dientes*, un tubo de *pasta de dientes*, un *cepillo* y un *peine* y los puso sobre la *mesita de noche*. Su mamá le dijo: "Lleva también *vendas (curas), pañuelos de papel* y unas *vitaminas (aspirinas)*. Y no olvides llevar una *corbata* y un *saco* para ponerte si vas a una *fiesta* o a un *restaurante*." Ahora su *amigo* lo llama y los dos salen en un *taxi*. El viaje al *aeropuerto* no es largo. Carlos tiene tiempo de comprar varias *revistas* y un *periódico*. Muy pronto anuncian que el vuelo (flight) número 614 sale en 15 minutos. En el *avión* van más de 300 pasajeros. Carlos está muy *contento*.

Cuarta Parte
Lección 15

Optional Oral Exercises

A. Repeat each noun with the correct indefinite article.

1. escobas
2. poción
3. trébol
4. duendes
5. sueño
6. brujos
7. murciélago
8. pesadillas
9. esqueleto
10. fantasma

KEY

1. unas escobas
2. una poción
3. un trébol
4. unos duendes
5. un sueño
6. unos brujos
7. un murciélago
8. unas pesadillas
9. un esqueleto
10. un fantasma

B. Say the "yo" form of each verb in the preterit.

1. tocar
2. llegar
3. dirigir
4. jugar
5. almorzar
6. explicar
7. pescar
8. pagar
9. elegir
10. recoger

KEY

1. toqué
2. llegué
3. dirigí
4. jugué
5. almorcé
6. expliqué
7. pesqué
8. pagué
9. elegí
10. recogí

Key to Actividades

A.
1. g. la astrología
2. e. el viernes trece
3. d. la mala suerte
4. f. el mago
5. a. la bruja
6. b. la pesadilla
7. c. la fantasía
8. h. el murciélago

B.
1. El hada toca al muchacho con la varita mágica.
2. El mago prepara una poción.
3. La niña tiene una pesadilla.
4. El astrónomo mira las estrellas.
5. El esqueleto baila.
6. La familia lleva flores al cementerio.
7. La bruja vuela en la escoba.
8. El mago saca un conejo del sombrero.

C.
1. Una persona inteligente, moderna y lógica no cree en la mala suerte.
2. Los viejos y los ignorantes creen en las supersticiones.
3. Los supersticiosos no pasan por debajo de una escalera porque creen que trae mala suerte.
4. Una persona supersticiosa no abre un paraguas dentro de su casa.
5. Muchos supersticiosos cruzan los dedos para tener buena suerte.
6. Según algunos, el número trece trae mala suerte.

7. Según muchos científicos, la superstición está basada en nuestra vida diaria.
8. Uno no debe viajar o casarse un viernes trece, según algunos supersticiosos.
9. Algunos objetos que traen buena suerte son una pata de conejo, un trébol de cuatro hojas y una estatua de un elefante blanco.
10. No es posible creer en todas las supersticiones porque muchas supersticiones tienen significados contrarios.

D. 1. Busqué un libro en la biblioteca.
2. Saqué una buena nota en el examen.
3. Toqué la guitarra.
4. Expliqué las tareas a mi hermanito.
5. Me acerqué a la escuela por la tarde.

E. 1. Almuercen en la cafetería.
2. Crucen la calle con cuidado.
3. Comience a hacer las tareas.
4. Pague la cuenta del gas.
5. No jueguen en la sala.
6. Lleguen temprano a la casa.

F. (Sample responses)
1. Ayer almorcé a las doce.
2. Jugué con mis amigos el sábado pasado.
3. Saqué una A en el último examen de español.
4. Comencé a ver televisión anoche a las siete.
5. Sí. Crucé muchas calles para llegar a la escuela.
6. Llegué a casa ayer a las dos de la tarde.
7. Sí. Toqué a la puerta.
8. Sí. Busqué palabras en el diccionario para la tarea de español.

G. 1. Corrijan los errores en la composición.
2. Protejan a los animales.
3. Escoja una película cómica.
4. Coja la pelota.
5. Elijan al presidente de la clase.
6. Dirija el coro en la clase de música.

H. (Sample responses)
1. No, no escojo a mis maestros en la escuela.
2. No, no sigo algún curso de arte.
3. Sí. Siempre recojo los platos sucios después de la comida.
4. No, nunca consigo entradas para los conciertos que quiero ver.
5. Sí. Protejo a los animales.
6. No, no dirijo ningún proyecto en la escuela.

I. 1. Yo sigo los consejos de la gente.
2. Toqué a todas las puertas.
3. Abracé a cien bebés.
4. No protejo a los criminales.
5. Llegué a esta ciudad hace veinte años.
6. Siempre escojo las soluciones correctas.
7. Yo corrijo mis errores.

Preguntas Personales (Sample responses)

1. Mucha gente cree que los gatos negros traen mala suerte.
2. En mi opinión, la superstición más ridícula es la del viernes trece.
3. Sí, tuve mala suerte el año pasado. Tuve un accidente.
4. Tengo un trébol para la buena suerte.
5. Mi cuento de hadas favorito es el de la bella durmiente.

Información Personal (Sample responses)

Seguí mis estudios en la universidad.
Jugué en un equipo de fútbol americano.
Escogí una carrera.

Elegí una buena compañía en la ciudad.
Conseguí un empleo interesante.
¡Comencé a trabajar!

Diálogo (Sample responses)

Porque los gatos negros traen la mala suerte.
Hay una escalera. No puedo pasar por debajo de
ella.
No puedo entrar. La casa es el número trece – ¡el
número de la mala suerte!
Tengo los dedos cruzados para protegerme de la
mala suerte.
Busco un trébol para la buena suerte.

Para pensar (Sample responses)

1. Los hurracanes traen viento muy fuerte que
derrumba árboles y edificios. Los hurracanes
también traen lluvia muy fuerte.
2. Los taínos eran una tribu de indios que vivía
en el Caribe.
3. Hamaca, tabaco, canoa.
4. Juracán era el dios malo de los taínos.
5. Los explicaban con la mitología.

Key to *Cuaderno* Exercises

A. (Sample responses)
1. la poción—el brujo: El brujo usó la
poción contra el hombre para darle mala
suerte.
2. la varita mágica—el mago: El mago lleva
su varita mágica al espectáculo.
3. el trébol—el duende: El duende busca un
trébol en el bosque para atraer la buena
suerte.
4. la escoba—la bruja: La bruja monta la
escoba y vuela por el cielo.

5. la calavera—el esqueleto: El esqueleto
baila y la calavera canta.
6. la pesadilla—el sueño: Todas las noches,
en vez de tener un lindo sueño, tengo una
pesadilla.

B. 1. fantasma 4. trébol 7. pesadilla
2. mago 5. escalera 8. escoba
3. poción 6. sueño
Answer: → La **fantasia**

C. 1. Tú: Juegue al fútbol con los
muchachos.
Luceli: Ya jugué con ellos.
2. Tú: Almuerce con los profesores.
Luceli: Gracias. Ya almorcé.
3. Tú: Empiece a hablar con la clase.
Luceli: Ya empecé.
4. Tú: Comience la presentación.
Luceli: Ya comence.
5. Tú: Toque la puerta de la sala de
clase.
Luceli: Ya la toque.
6. Tú: Llegue a la escuela a las diez.
Luceli: Ya llegué.
7. Tú: Cruce la calle con cuidado.
Luceli: Ya la crucé.

D. 1. Sí. Recójala. 6. Sí. Escójalas.
2. ¿Dirijo el tráfico? 7. ¿Cojo estas
3. Sí. Corríjalos. blusas?
4. Sí. Elíjala.
5. ¿Protejo a esta niña?

E. 1. Persigan los 4. Extingan las
sueños. llamas.
2. Consiga mucho 5. Consiga un
dinero. buen empleo.
3. Siga recto.

Quiz 15

A. Give the following commands:

1. tocar la puerta (Ud.)
2. llegar a tiempo (Uds.)
3. dirigir la actividad (Ud.)
4. jugar con los niños (Uds.)
5. almorzar a las doce (Ud.)
6. explicar la lección (Ud.)
7. pescar en el río (Uds.)
8. pagar la cuenta (Ud.)
9. elegir el presidente (Uds.)
10. recoger la basura (Uds.)

B. Say that you did the following things:

1. jugar con tus amigos
2. cruzar la calle
3. sacar buenos apuntes en clase
4. comenzar a hacer la tarea
5. buscar el regalo
6. coger la pelota
7. corregir los errores
8. extinguir el incendio
9. seguir la direcciones
10. abrazar a tu madre

Key to Quiz 15

A.
1. Toque la puerta.
2. Lleguen a tiempo.
3. Dirija la actividad.
4. Jueguen con los niños.
5. Almuerce a las doce.
6. Explique la lección.
7. Pesquen en el río.
8. Pague la cuenta.
9. Elijan el presidente.
10. Recojan la basura.

B.
1. Jugué con mis amigos.
2. Crucé la calle.
3. Saqué buenos apuntes en clase.
4. Comencé a hacer la tarea.
5. Busqué el regalo.
6. Cogí la pelota.
7. Corregí los errores.
8. Extinguí el incendio.
9. Seguí la direcciones.
10. Abracé a mi madre.

Lección 16

Optional Oral Exercises

A. Give three examples of each type of animal mentioned.
  1. animales que nadan
  2. insectos
  3. pájaros
  4. mamíferos
  5. reptiles

KEY

1. el delfín, la ballena, la piraña
2. la abeja, la mosca, la hormiga
3. el papagayo, el pingüino, el pavo
4. el canguro, la ardilla, el ciervo
5. el cocodrilo, la tortuga, la serpiente

B. State each phrase in Spanish.
  1. best cat
  2. worst dog
  3. tallest giraffe
  4. fastest rabbit
  5. slowest turtle
  6. ugliest spider
  7. biggest bear
  8. smallest squirrel
  9. shortest seal
  10. prettiest parrot

KEY

1. el mejor gato
2. el peor perro
3. la jirafa más alta
4. el conejo más rápido
5. la tortuga más lenta
6. la araña más fea
7. el oso más grande
8. la ardilla más pequeña
9. la foca más baja
10. el papagayo más bonito

Key to Actividades

A.
  1. Soy una tortuga.
  2. Soy un pingüino.
  3. Soy una culebra.
  4. Soy una piraña.
  5. Soy un canguro.
  6. Soy una ardilla.
  7. Soy un delfín.
  8. Soy una araña.
  9. Soy un conejo.
  10. Soy un oso.

B.
  1. A la gente le gusta discutir los records.
  2. La gente pregunta cuáles son las cosas más grandes, más pequeñas, etc.
  3. Las respuestas a esas preguntas se encuentran en el libro Guinness de records.
  4. La compañía está en Irlanda.
  5. El libro está publicado en 23 idiomas.
  6. El hombre más alto del mundo medía 8 pies, 11 pulgadas, según el libro.
  7. El hombre más viejo era japonés.
  8. El perro más pequeño viene de México.
  9. La ballena azul es el animal más grande y más pesado del mundo.
  10. El árbol más alto del mundo está en California.

C.
  1. La jirafa es más alta que el toro.
  2. El elefante es más grande que el canguro.
  3. Los conejos son más rápidos que las tortugas.
  4. El perro es más inteligente que la vaca.
  5. Los leones son más feroces que los camellos.
  6. La ardilla es más bonita que la araña.
  7. La piraña es más pequeña que la ballena.

D. (Sample responses)
1. El tenis es menos popular que el béisbol.
2. El fútbol es menos violento que el fútbol americano.
3. La comida en un picnic es más sabrosa que la comida en un restaurante.
4. La playa es más divertida que la piscina.
5. La clase de español es menos difícil que la clase de matemáticas.

E. 1. Cristóbal Colón es más famoso que Francisco Núñez de Coronado.
2. El dinero es menos importante que la salud.
3. Los trenes son menos rápidos que los aviones.
4. El periódico es más necesario que la radio.
5. Los automóviles son más útiles que las bicicletas.

F. 1. El profesor es tan serio como el director.
2. Las frutas son tan buenas como las legumbres.
3. El policía es tan valiente como el bombero.
4. El perro es tan inteligente como el gato.
5. Yo soy tan sincero como tú.

G. 1. Mi hermana es la más alegre de la familia. Mi abuelo es el menos alegre de la familia.
2. Yo soy el más serio de la familia. Mi madre el la menos seria de la familia.
3. Mi hermano es el más ambicioso de la familia. Mi tía es la menos ambiciosa de la familia.
4. Mi abuela es la más amable de la familia. Mi sobrino es el menos amable de la familia.
5. Mi primos son los más divertidos de la familia. ; Mi tío es el menos divertido de la familia.
6. Mi madre es la más generosa de la familia. ; Mi padre es el menos generoso de la familia.

H. (Sample responses)
1. El fútbol es el deporte más interesante. El tenis es el deporte menos interesante.
2. El delfín es el animal más inteligente. El oso es el animal menos inteligente.
3. "La Noticias de las once" es el programa de televisión menos aburrido. "La Rana Increíble" es el programa de televisión menos aburrido.
4. "Aventuras en Amazonia" es la película más divertida. "El enemigo" es la película menos divertida.
5. Lucas Lindo es el actor más guapo. ; Fernando Feura es el actor menos guapo.
6. El Cadillac es el automóvil más elegante. El Ford es el automóvil menos elegante

I. (Sample responses)
1. La mejor película del año es «Mi perro y yo». La peor película del año es «La isla perdida».
2. El mejor actor de televisión es Freddy Mojica. El peor actor de televisión es Berto Botero.
3. El mejor equipo de fútbol profesional es «Los Bravos»; el peor equipo es «Los Tigres».
4. El mejor carro deportivo es el «Jaguar»; el peor es el «Peugeot».
5. El mejor grupo de rock es «Led Zeppelin»; el peor es «Quiet Riot».

J.   (Sample response)

Tengo dos hermanos. Martín es menor y más atlético que yo. Joaquín es mayor y más inteligente que Martín y yo. Tengo una hermana llamada Rosalía. Ella es la más inteligente de todos. Ella es mayor ¡y más alta que mi madre! Mis hermanos son más amables que mi hermana. Mi hermana es la más ambiciosa de la familia.

Información Personal (Sample responses)

1. La mejor película qué vi el año pasado fue «Jeepers Creepers» .
2. El programa de televisión que más me gustó fue «Fear Factor».
3. La experiencia más interesante que tuve fue un viaje en avión al Perú.
4. La clase que más me gustó fue el español porque es la clase más interesante.
5. Yo soy el mejor artista de mi familia.

Diálogo (Sample responses)

El insecto más pequeño del mundo es la hormiga.
El animal más peligroso es el tigre.
Los leones son menos feroces que los tigres.
Nuestra madre es la persona más inteligente del mundo.
¡No! Yo soy la más bonita de la familia.

Composición (Sample responses)

¿Es el delfín más inteligente que la ballena?
¿Es la piraña más feroz que el tiburón?
¿Es la jirafa más alta que el elefante?
¿Son los conejos tan rápidos como los leopardos?
¿Son las culebras tan largas como los cocodrilos?
¿Son los osos tan perezoso como las tortugas?

Para pensar (Sample responses)

1. Porque es el río más grande del mundo. Tiene más de 4000 de largo.
2. Porque es la selva más grande del mundo, con un área de 2,5 millones de millas cuadradas.
3. El caimán, la piraña, el jaguar y la anaconda.
4. La deforestación y la minería. Contaminación y extinción de especies animales.
5. La destrucción afecta a todos los habitantes del planeta. Debemos de conservar el ambiente.

Key to *Cuaderno* Exercises

A.

B.
1. El oso es más feroz que la ardilla.
2. El cocodrilo es menos rápido que el leopardo.
3. El canguro es menos alto que la jirafa.
4. La araña es más pequeña que la tortuga.
5. El pingüino es más bajo que el oso.
6. La araña es menos larga que la culebra.
7. La foca es más gorda que el pingüino.
8. El conejo es menos lento que la tortuga.
9. El pavo es menos bonito que el papagayo.
10. El ciervo es más miedoso que la piraña.

C. (Sample responses)
1. El delfín es tan elegante como una flor.
2. El papagayo es tan colorido como el arco iris.
3. La piraña es tan espantosa como una noche sin luz.
4. El cocodrilo es tan hambriento como un niño sin almuerzo.
5. La culebra es tan silenciosa como un suspiro.
6. El conejo es tan inteligente como un científico.
7. La ardilla es tan ocupada como una madre.
8. El pingüino es tan cómico como un payaso.
9. El oso es tan fuerte como un boxeador.
10. La tortuga es tan escondida como un secreto.

D.
1. Para mí, el animal más bonito es el delfín porque es muy liso y suave.
   En mi opinión, el animal menos bonito es la araña porque tiene las patas peludas.
2. Para mí, el animal más trabajador es la ardilla porque busca y guarda nueces.
   En mi opinión, el animal menos trabajador es el oso porque duerme mucho.
3. Para mí, el animal más importante es el león porque es el rey de la selva.
   En mi opinión, el animal menos importante es el ciervo porque es muy miedoso.
4. Para mí, el animal más fuerte es el elefante porque tumba árboles.
   En mi opinión, el animal menos fuerte es el conejo porque no levanta nada.
5. Para mí, el animal más peligroso es el cocodrilo porque tiene muchos dientes.
   En mi opinión, el animal menos peligroso es el pavo porque no hace ningún daño.

E.
1. Gabriela es la más alta. Chela es la menos alta.
2. Noé es el más grande. Salvador es el menos grande.
3. Isabel es la mayor. Nicolás es el menor.
4. Pilar es la estudiante más avanzada. Saúl es el estudiante menos avanzado.
5. Orléy es el más inteligente. Camila es la menos inteligente.

Quiz 16

A. Write a comparative sentence for each:

1. piraña / peligroso / pavo
2. ardilla / trabajador / oso
3. leopardo / rápido / tortuga
4. foca / inteligente / delfín
5. araña / alto / jirafa
6. culebra / larga / piraña
7. oso / perezoso / ardilla
8. tortuga / divertido / canguro
9. pantera / colorido / papagayo
10. liebre / inteligente / tortuga

B. Write a superlative sentence for each:

1. foca / gordo
2. ballena / largo
3. araña / grande
4. pantera / rápido
5. pingüino / elegante

C. Finish each expression with an appropriate animal word:

1. Es tan negro como _____.

2. Son tan altos como _____.

3. Es tan largo como _____.

4. Es tan lento como _____.

5. Son tan grandes como _____.

Key to Quiz 16

A.
1. La piraña es más peligrosa que el pavo.
2. La ardilla es más trabajadora que el oso.
3. El leopardo es más rápido que la tortuga.
4. La foca es menos inteligente que el delfín.
5. La araña es menos alta que la jirafa.
6. La culebra es más larga que la piraña.
7. El oso es más perezoso que la ardilla.
8. La tortuga es menos divertida que el canguro.
9. La pantera es menos colorida que el papagayo.
10. La liebre es más inteligente que la tortuga.

B. Write a superlative sentence for each.
1. La foca es el animal más gordo.
2. La ballena es el animal más largo.
3. La araña es el animal menos grande.
4. La pantera es el animal más rápido.
5. El pingüino es el animal menos elegante.

C. Finish each expression with an appropriate animal word.
1. Es tan negro como la pantera.
2. Son tan altos como las jirafas.
3. Es tan largo como la culebra.
4. Es tan lento como la tortuga.
5. Son tan grandes como las ballenas.

Lección 17

Optional Oral Exercises

A. Say each of the following professions for a woman.

1. el programador de computadoras
2. el electricista
3. el veterinario
4. el peluquero
5. el aeromozo
6. el fotógrafo
7. el carnicero
8. el gerente
9. el empleado
10. el reportero

KEY

1. la programadora de computadoras
2. la electricista
3. la veterinaria
4. la peluquera
5. la aeromoza
6. la fotógrafa
7. la carnicera
8. la gerente
9. la empleada
10. la reportera

B. Say the future tense for each word.

1. hablar (yo)
2. comer (ella)
3. jugar (ellos)
4. escribir (Ud.)
5. caminar (tú)
6. beber (nosotros)
7. entender (Uds.)
8. trabajar (él)
9. ver (tú)
10. ser (Ud.)

KEY

1. hablaré
2. comerá
3. jugarán
4. escribirá
5. caminarás
6. beberemos
7. entenderán
8. trabajará
9. verás
10. será

Key to Actividades

A.
1. El peluquero
2. El carnicero
3. El panadero
4. El veterinario
5. El zapatero
6. El dependiente
7. El fotógrafo
8. El programador
9. En entrenador
10. El piloto
11. El reportero
12. El empleado
13. El bombero
14. El aeromozo
15. El gerente
16. El electricista

B.
1. Los astrólogos dicen que nuestra personalidad y futuro están influenciados por las estrellas.
2. Muchas personas consultan su horóscopo antes de tomar una decisión importante.
3. Un Leo es una persona segura y un líder.
4. Un Sagitario necesita tener más confianza.
5. Según el horóscopo, un Acuario recibirá una noticia de gran importancia para su felicidad.
6. Un Cáncer es simpático y le gusta ayudar a los demás.
7. Las personas sensitivas, idealistas y sentimentales nacieron bajo el signo Piscis.
8. Nací bajo el signo de Géminis.

Section 2

	estar	ser	abrir
yo	estaré	seré	abriré
tú	estarás	serás	abrirás
Ud., él, ella	estará	será	abrirá
nosotros	estaremos	seremos	abriremos
Uds., ellos, ellas	estarán	serán	abrirán

C. 1. Yo nadaré en el mar.
  2. Yo correré por la playa.
  3. Yo construiré castillos de arena.
  4. Yo comeré en restaurantes.
  5. Yo recogeré conchas.

D. 1. Ella irá con el gato al veterinario.
  2. Ella hablará con el fotógrafo.
  3. Ella leerá el artículo de la periodista española.
  4. Ella dará instrucciones al electricista.

E. 1. Estudiaremos para el examen.
  2. Terminaremos las tareas.
  3. Escribiremos la composición.
  4. Leeremos el periódico.
  5. Escucharemos unos discos.

F. 1. Los muchachos traerán los discos.
  2. Las muchachas escogerán la música.
  3. Tú servirás el ponche.
  4. Uds. ayudarán a decorar.
  5. El director tocará la guitarra.
  6. Las madres prepararán los sándwiches.
  7. Tú comprarás los platos de papel.
  8. Yo abriré la puerta.
  9. Ud. recogerá la basura.
  10. Todos nosotros cantaremos y bailaremos.

G. 1. Yo estaré allí temprano.
  2. Uds. escogerán libros de uso.
  3. Carlos y Ana comprarán muchas cosas.
  4. Tú venderás los juguetes viejos.
  5. Roberto comerá hamburguesas.
  6. Todos nosotros gastaremos mucho dinero.

H. 1. ¿Será estricto?
  2. ¿Dará muchos exámenes?
  3. ¿Hablará sólo en español?
  4. ¿Escribirá mucho en la pizarra?
  5. ¿Llegará puntualmente?

Preguntas Personales (Sample responses)

1. Soy una persona trabajadora y tímida.
2. Pienso trabajar de azafata porque me gusta viajar.
3. Nací bajo el signo de Leo. Tiene poca relación con mi personalidad.
4. Sí. Conozco a otras personas con mi personalidad y no nacieron bajo el mismo signo.
5. Una persona supersticiosa consulta su horóscopo antes de tomar una decisión importante.

Diálogo (Sample responses)

Estaremos en el mismo pueblo.
Trabajaré de profesora de español.
Tú serás buen programador.
Ganaré mucho dinero.
Iremos al cine.

Composición (Sample response)

1. Comenzaré mi fin de semana en el centro comercial.
2. Veré a mis amigos allí.
3. Hablaré con todas las muchachas guapas.
4. Iré a mi tienda favorita para comprar ropa.
5. En el centro comercial comeré una hamburguesa con papas fritas.

Para pensar (Sample responses)

1. De novelas, películas y televisión.
2. Fuero los indios de la misión. Las misiones empleaban a los indios para rodear caballos.
3. Huasos: Chile; Guachos: Argentina y Uruguay.
4. El poncho es una cubierta o manta que proteje del frío y la lluvia; las bombachas son pantalones muy anchos.
5. Es importante porque la carne es un producto principal en la economía. Los vaqueros son fuertes y ágiles. Son romanticados porque representan el pasado de la nación.

Key to *Cuaderno* Exercises

A. programador de computadoras
peluquero
piloto
entrenador

carnicero
empleado de banco
zapatero
azafata
fotógrafo

B.

```
W  H  O  C  H  P  I  L  O  T  O  X  G  E
M  P  B  O  M  V  E  X  U  E  I  V  D  N
R  E  A  E  R  O  M  O  Z  A  L  O  R  T
M  L  H  N  U  I  K  X  E  L  E  F  V  R
I  U  W  I  A  E  R  O  M  O  Z  O  C  E
T  Q  O  R  I  D  L  R  D  T  B  T  H  N
A  U  U  E  U  I  E  W  O  D  D  O  B  A
R  E  W  T  E  R  L  R  B  O  T  G  X  D
T  R  Y  U  C  T  E  T  A  W  B  R  H  O
N  O  V  E  A  I  C  P  E  G  F  A  G  R
H  B  Y  X  R  T  T  O  O  H  G  F  E  A
W  S  G  E  N  F  R  T  U  R  O  A  D  V
Z  X  E  D  I  T  I  H  J  L  T  Y  N  E
A  C  R  F  C  V  C  M  K  O  Y  E  E  M
Q  V  E  T  E  R  I  N  A  R  I  O  R  P
E  R  N  T  R  Y  S  U  I  G  O  A  U  O
W  Q  T  A  V  T  Q  W  E  R  T  Y  U
A  S  E  D  F  G  A  H  J  K  I  L  O  P
F  G  T  J  E  M  P  L  E  A  D  O  E  T
```

C. (Sample responses)
1. Mañana pensaremos en todo lo divertido.
2. Mañana miraremos una película de horror.
3. Mañana llamaremos a todos mis amigos.
4. Mañana montaremos en autobús temprano.
5. Mañana iremos al centro comercial.
6. Mañana compraremos algunos recuerdos para tu familia.
7. Mañana hablaremos con mis otros amigos.
8. Mañana comeremos comida típica de esta región del país.
9. Mañana viajaremos a muchos sitios turísticos.
10. Mañana no volveremos a casa hasta muy tarde.

D. (Sample responses)
1. Sí. Viajaré a México.
2. Sí. Estudiaré el español mucho.
3. Sí. Leeré muchos libros.
4. Sí. Escribiré dos ensayos en español.
5. Me prepararé para el año escolar que viene.

E.
1. ¿Hablará bien el inglés?
2. ¿Llegará a tiempo?
3. ¿Se parecerá a su foto?
4. ¿Le faltará a su familia?
5. ¿Le gustarán los EE.UU.?
6. ¿Se sonreirá mucho?
7. ¿Entenderá mis chistes?
8. ¿Deseará jugar videojuegos?
9. ¿Llevará mucho equipaje?
10. ¿Estará contento de estar aquí?

Quiz 17

A. Write what each person will be in the future.

1. mi mamá / piloto
2. los primos / carnicero
3. mi mejor amiga / fotógrafo
4. la tía / peluquero
5. mis hermanos / programador de computadoras
6. tú / electricista
7. yo / entrenador personal
8. nosotros / reportero
9. tú y yo / azafata
10. Benito y Juan / zapatero

B. Imagine what your future will be like. Ask the following questions.

1. la vida / ser / divertido
2. yo / gastar / dinero
3. mis amigos / vivir / cerca
4. mi familia / estar / saludable
5. mis padres / viajar / mucho
6. yo / conseguir / trabajo
7. mi esposo/a / ser / guapo/a
8. mis hijos / jugar / mucho
9. mi casa / ser / grande
10. el futuro / ser / lindo

Key to Quiz 17

A.
1. Mi mamá será piloto.
2. Los primos serán carniceros.
3. Mi mejor amiga será fotógrafa.
4. La tía será peluquera.
5. Mis hermanos serán programadores de computadoras.
6. Tú serás electricista.
7. Yo seré entrenador/a personal.
8. Nosotros seremos reporteros.
9. Tú y yo seremos azafatas.
10. Benito y Juan serán zapateros.

B.
1. ¿La vida será divertida?
2. ¿Yo gastaré mucho dinero?
3. ¿Mis amigos vivirán cerca?
4. ¿Mi familia estará saludable?
5. ¿Mis padres viajarán mucho?
6. ¿Yo conseguiré un buen trabajo?
7. ¿Mi esposo/a será guapo/a?
8. ¿Mis hijos jugarán mucho?
9. ¿Mi casa será grande?
10. ¿El futuro será lindo?

Lección 18

Optional Oral Exercises

A. Repeat each noun with the correct definite article.

1. luna
2. estrellas
3. nave espacial
4. traje espacial
5. cohetes
6. cápsula espacial
7. satélite
8. asteroides
9. luz
10. cometas

KEY

1. la luna
2. las estrellas
3. la nave especial
4. el traje espacial
5. los cohetes
6. la cápsula espacial
7. el satélite
8. los asteroides
9. la luz
10. los cometas

B. Say the future tense of each verb in the "Ud." form.

1. poder
2. querer
3. saber
4. poner
5. tener
6. salir
7. venir
8. decir
9. hacer
10. ir

KEY

B. Say the future tense of each verb in the **Ud.** form.

1. podrá
2. querrá
3. sabrá
4. pondrá
5. tendrá
6. saldrá
7. vendrá
8. dirá
9. hará
10. irá

Key to Actividades

A. La *Tierra* es un *planeta* en el *sistema solar*. Este sistema es parte de la Vía Láctea , una de las galaxias del Universo. La *Tierra* viaja alrededor del *Sol,* y la *Luna* alrededor de la Tierra.

La *luz* que vemos durante el *día* es la *luz* del *sol*. Por la *noche* podemos ver la *Luna,* las *estrellas* y otros cuerpos celestes. Uno de los *planetas* que podemos reconocer fácilmente es *Saturno* porque tiene *anillos*.

B. (Sample responses)

Caption 1: Mamá, Papá, les presento a mi novio, XacaXaca. ¿No les parece fascinante?

Caption 2: ¡Al fin! Encontré a mi pareja ideal...

C.

	S	O	L			
	L	U	N	A		
T	I	E	R	R	A	
S	A	T	U	R	N	O
E	S	T	R	E	L	L	A

D.

1. Los astronautas están en una nave espacial.
2. El conteo regresivo comenzará inmediatamente.
3. Paco y Flaco pondrán pie en el planeta.
4. Paco y Flaco ven unas plantas enormes cuando aterrizan en el planeta desconocido.
5. Las plantas rodean a los astronautas. No están muy contentas de verlos.
6. Las plantas piensan que los seres terrestres son crueles.
7. Las plantas quieren comer a Paco y Flaco.
8. Las plantas pondrán sal a los astronautas.
9. Miguel veía la televisión cuando le habló su mamá.
10. La mamá de Miguel piensa que la ciencia ficción es basura.

E.

L uz
a steroide

na **v** e
T **i** erra
s **a** télite

So **l**
Lun **a**
c onteo
es **t** rella
coh **e** te
astron **a** uta

Solución:

l	a		v	i	a		l	a	c	t	e	a

Section 2

	poder	querer	saber
yo	**podré**	**querré**	**sabré**
tú	podrás	querrás	sabrás
Ud., él, ella	podrás	querrás	sabrás
nosotros	podremos	querremos	sabremos
Uds., ellos ellas	podrán	querrán	sabrán

F. (Sample responses)
   1. Sí. Podré ir al aeropuerto a recibirte.
   2. Sí. Mis padres querrán ir conmigo.
   3. Sí. Sabré cómo llegar al aeropuerto.
   4. No. No sabremos en qué puerta esperarme.
   5. Sí. Podrás llamar por teléfono a tus padres desde mi casa.
   6. Sí. Podremos salir el sábado por la noche.
   7. No. Mi hermano no querrá salir con nosotros.
   8. No. Mis padres no podrán prestarme el carro.

Section 3

	poner	tener	salir	venir
yo	**pondré**	**tendré**	**saldré**	**vendré**
tú	pondrás	tendrás	saldrás	vendrás
Ud., él, ella	pondrá	tendrá	saldrá	vendrá
nosotros	pondremos	tendremos	saldremos	vendremos
Uds., ellos ellas	pondrán	tendrán	saldrán	vendrán

G. saldré   querrán   podrán
podré   tendré   vendrán

H. (Sample responses)
1. Yo saldré a las seis.
2. Mis amigos y yo nos pondremos ropa cómoda.
3. Roberto y Rosa podrán nadar en el lago.
4. Tú tendrás que levantarte temprano.
5. Mario querrá ser el guía.
6. Ustedes sabrán cómo llegar al campamento.

Section 4

yo	**diré**	**har**é
tú	dirás	harás
Ud., él, ella	dirá	hará
nosotros	diremos	haremos
Uds., ellos, ellas	dirán	harán

I. (Sample responses)
1. Enrique tendrá que trabajar más tarde.
2. Nosotros vendremos a comer pasado mañana.
3. Tú harás las tareas mañana.
4. Uds. querrán salir de hoy en ocho.
5. Marta y Rosa harán una torta de hoy en quince.
6. Yo saldré de vacaciones el mes que viene.
7. Ud. podrá viajar los fines de semana.
8. Tú y yo sabremos hablar español el año que viene.

J. (Sample responses)
1. Sí. Saldré con mis amigos el sábado.
2. Me encontraré con ellos a las ocho.
3. Sí. Ellos me dirán adónde quieren ir.
4. Sabré qué autobús coger.
5. Sí. Mi hermano querrá ir conmigo.
6. No. No tendré suficiente dinero.
7. Me pondré mi vestido nuevo.
8. El domingo iremos a la playa.
9. No. No podré lavar el carro.
10. Sí. Te diré si pienso regresar muy tarde a casa.

Preguntas Personales (Sample responses)

1. Tendré treinta años en el año 2025.
2. Es importante explorar el espacio porque puede haber vida en otros planetas.
3. Podré ser astronauta en el futuro.
4. Un astronauta debe ser fuerte, inteligente y trabajador. Yo tengo algunas de esas cualidades.
5. En el futuro, nos comunicaremos con la mente.

Diálogo (Sample responses)

Es una cápsula espacial.
Irá a la luna.
Busca extraterrestres.
Sí. Es Saturno.
Porque es muy interesante.

Información Personal (Sample response)

Después de graduarme, yo iré a la universidad. Estudiaré astronomía y sacaré muy buenas notas. Me graduaré la primera en mi clase y buscaré un trabajo con una compañía científica. Trabajaré unos años así y después buscaré un trabajo de astronauta. Viajaré en una nave espacial y caminaré en la luna.

Composición (Sample response)

En el futuro, viviré en una casa enorme con un jardín, una piscina y un garaje lleno de carros deportivos. Trabajaré como programador de computadoras y ganaré mucho dinero. Estaré casado con una mujer muy bonita y tender dos hijos – un niño y una niña. Toda la familia llevará ropa muy elegante viajaremos por todo el mundo en nuestro bote.

Para pensar (Sample responses)

1. Nuestro planeta es muy pequeño con relación al universo.
2. La Vía Láctea es nuestra galaxia.
3. El primer hombre en el espacio fue ruso; el primer hombre en la Luna fue americano.
4. La Universidad de Puerto Rico tiene el porcentaje más alto de ingenieros en la NASA.
5. Tiene sentido, porque se pueden describir muchas cosas importantes.

Key to *Cuaderno* Exercises

A. *Hombre:*

la nave especial
el astronauta
el traje especial
el cohete
la cápsula especial
el satellite
la estación espacial

Naturaleza:

la luna
las estrellas
el cometa
el asteroide
la luz
el amanecer

B. (Sample responses)

	querer	poder	saber
yo	querré viajar por el mundo	podré enseñar inglés	hablar varios idiomas
tu mejor amigo/a	querrá un carro deportivo	podrá manejar rápido	pintar el carro rojo
nosotros (tú y tu familia)	querremos comprar una casa bonita	podremos pagar dinero por una casa grande	sabremos arreglar la casa
ellos (tus amigos)	querrán unos buenos trabajos	podrán trabajar con computadoras	sabrán programar videojuegos

Mi futuro será interesante. En el futuro, yo viajaré por el mundo. Podré enseñar inglés y sabré hablar varios idiomas. Mi mejor amiga querrá un carro deportivo. Podrá manejar rápido y sabrá pintar el carro rojo. Mi familia y yo querremos comprar una casa bonita. Podremos pagar dinero por una casa grande. Sabremos arreglar la casa. Mis amigos querrán unos buenos trabajos. Podrán trabajar con computadoras. Sabrán programar videojuegos.

C. (Sample responses)
1. Tendré un carro grande.
2. Sí. Saldré de mi vecindario.
3. Sí. Iré a estudiar a una universidad lejos de casa.
4. Sí. Tendré un trabajo de tiempo completo.
5. Sí. Pondré mucho énfasis en mis estudios.

D. 1. La gente dirá que eres perezoso si no vas a la universidad.
   2. Diré que «no» si me pides cien dólares.
   3. Si fracasamos la clase de ciencias, tomaremos la clase de nuevo.

4. Buscarás la licencia.
5. Tu madre se enojará si tú no llegas a casa a tiempo.
6. Tus padres gritarán si tú decides no buscar un trabajo este verano.
7. Tus amigos se ofenderán si no los llamas por varios días.
8. Si no tienes la tarea, tu profesor te dirá que hagas otra vez.
9. Te daré un golpe.
10. ¡No harás nada si no sabes que hacer!

Quiz 18

A. Fill in the blank with a verb in the future.

1. El cometa _____ (salir) de la atmósfera en una semana.

2. El cohete _____ (poder) aterrizar en dos días.

3. Los astronautas _____ (saber) explorar el planeta.

4. Los reportes de los OVNIs _____ (vender) muchas revistas.

5. Yo _____ (tener) que mirar el amanecer mañana.

6. Tú _____ (decir) la verdad a la profesora.

7. Nosotros _____ (ponerse) trajes espaciales.

8. Ellos _____ (querer) visitar una estación espacial.

9. Uds. no _____ (poder) ver el satélite hasta la noche.

10. Yo _____ (hacer) un viaje a la luna algún día.

B. You look up in the night sky with a telescope and see the following objects. Say what you see.

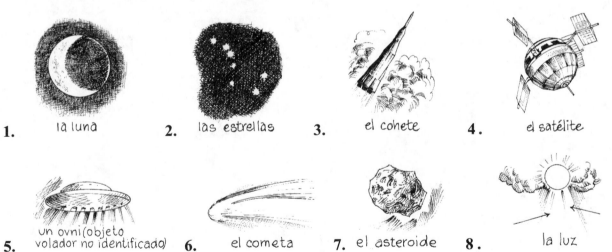

1. la luna   2. las estrellas   3. el cohete   4. el satélite

5. un ovni (objeto volador no identificado)   6. el cometa   7. el asteroide   8. la luz

9.   10.

Key to Quiz 18

A.
1. saldrá
2. podrá
3. sabrán
4. venderán
5. tendré
6. dirás
7. nos pondremos
8. querrán
9. podrán
10. haré

B.
1. Yo veo la luna.
2. Yo veo las estrellas.
3. Yo veo un cohete.
4. Yo veo un satélite.
5. Yo veo un OVNI.
6. Yo veo un cometa.
7. Yo veo un asteroide.
8. Yo veo la luz.
9. Yo veo a Saturno.
10. Yo veo los anillos de Saturno.

Repaso IV
(Lecciones 15-18)

Key to Actividades

A.
1. jugué
2. Saqué
3. expliqué el problema
4. Pagué
5. crucé
6. recogí mi cuarto
7. Perseguí el perro por el parque.
8. llegué
9. almorcé

B. (Sample responses)
1. El avión es más rápido que el tren.
2. Los libros son más importantes que los periódicos.
3. Un rascacielos es menos pequeño que una casa.
4. Ver la televisión es menos interesante que ir al cine.
5. La jirafa es tan alta con el árbol.
6. Los zapatos son más nuevos que las botas.
7. El gato es menos grande que el perro.
8. El tenis es más divertido que el golf.

C.
1. Yo saldré para España.
2. Ellos vendrán a casa.
3. Usted dirá la verdad.
4. Nosotros haremos los quehaceres.
5. María tendrá mucha suerte.
6. El niño querrá ir.
7. Él no sabrá la respuesta.
8. Pepito pondrá los libros en la mesa.
9. Tú no podrás levantar la maleta.

D.

A	N	A	U	D	A	M	N	D	I	E
A	S	T	R	O	N	A	V	E	A	J
T	Q	C	R	U	S	T	T	S	E	A
U	N	Á	E	A	A	E	I	P	T	P
A	Ó	P	R	T	T	V	E	E	R	I
N	I	S	N	A	É	L	R	G	O	U
O	V	U	Í	F	L	R	R	A	P	Q
R	A	L	T	I	I	S	A	R	A	E
T	N	A	E	Z	T	Z	U	U	S	B
S	M	C	L	A	E	L	U	N	A	L
A	Q	R	M	O	T	O	L	I	P	P

pasaporte   cápsula   avión
astronauta   satellite   luna
piloto   tierra   equipaje
astro   despegar   visa
aduana   azafata   nave
maletin

E. mago   calabaza   varita
        sueño   esqueleto
        brujas   duende

Solución: ganarás la lotería

F. 1.   P E L U Q U E R O

    2.   P I L O T O

    3.   B O M B E R O

    4. L A R N I C E R O

    5.   F O T O G R A F A

    6.   P R O G R A M A D O R A

    7.   P E R I O D I S T A

    8.   C A R T E R O

    9. V E T E R I N A R I A

   10. D E N T I S T A

   11.   Z A P A T E R O

   12.   P A N A D E R O

G. (Sample Answers)

Llegamos a un planeta con habitantes muy raros. Los habitantes del planeta nos recibieron alegremente. La vida en el planeta es parecida a la vida en la Tierra. Conocimos a muchos seres. Fuimos a comer hamburguesa y luego a ver una película. Todos estábamos tristes cuando nos despedimos y regresamos a la Tierra.

H.

X

Quinta Parte
Lección 19

Optional Oral Exercises

A. Say what traits a female friend should not have:

1. tímido
2. aburrido
3. tacaño
4. antipático
5. mentiroso
6. rebelde
7. egoísta
8. terco
9. celoso
10. envidioso

KEY

1. No debería ser tímida.
2. No debería ser aburrida.
3. No debería ser tacaña.
4. No debería ser antipática.
5. No debería ser mentirosa.
6. No debería ser rebelde.
7. No debería ser egoísta.
8. No debería ser terca.
9. No debería ser celosa.
10. No debería ser envidiosa.

B. Say what a group of ideal male friends would be like:

1. paciente
2. simpático
3. amable
4. sociable
5. trabajador
6. sincero
7. optimista
8. gracioso
9. cortés
10. considerado

KEY

1. debrían ser pacientes
2. debrían ser simpático
3. debrían ser amables
4. debrían ser sociables
5. debrían ser trabajadores
6. debrían ser sinceros
7. debrían ser optimistas
8. debrían ser graciosos
9. debrían ser corteses
10. debrían ser considerados

Key to Actividades

A.
1. Él es gracioso.
2. Ella es trabajadora.
3. Ella es optimista.
4. Él es egoísta.
5. Ella es cortés.
6. Él es terco/rebelde.
7. Él es antipático.
8. Él es celoso.
9. Él es mentiroso.
10. Ellos son generosos.

B.
1. i. Es tacaño.
2. g. Es tímido.
3. h. Es pesimista.
4. a. Es envidioso.
5. b. Es simpático
6. j. Es honesto.
7. c. Es un perezoso.
8. d. Es gracioso.
9. e. Es generoso.
10. f. Es terco.

C. (Sample responses)
1. Es un examen psicológico.
2. El examen revela su carácter.
3. Al lado de cada respuesta hay puntos.
4. Es necesario calcular los puntos al final.
5. Una persona que recibe más de 39 puntos es fuerte e independiente.
6. Esa persona puede ser considerada impulsiva, arrogante y antipática.
7. Una persona que recibe 30 puntos en el examen es amable y simpática.
8. Una persona tímida puede tener miedo de decir la verdad.
9. Una persona tímida necesita ser más dinámica y tener más confianza.
10. Recibí treinta y cinco puntos. Sí refleja mi personalidad.

D. (Sample responses)
1. Mi profesora de español es muy simpática.
2. Mi mamá es generosa.
3. Mi papá es muy optimista.
4. Mi hermano es terco.
5. El director de la escuela es cortés.
6. El Presidente de los Estados Unidos es muy trabajador.
7. Un americano típico es simpático.
8. Un alumno típico de mi escuela es trabajador.
9. Mi mejor amiga es amable.
10. Yo soy cariñosa.

E. (Sample responses)
1. Duermo hasta mediodía. / Ud. es perezoso.
2. Doy dinero a los pobres. / Ud. es generoso.
3. Me considero la persona más importante. / Ud. es egoísta.
4. No digo nunca la verdad. / Ud. es mentiroso.
5. No quiero gastar dinero. / Ud. es tacaño.
6. Investigo siempre las cosas. / Ud. es curioso.
7. No quiero cambiar mis ideas y mis opiniones. / Ud. es terco.
8. Digo siempre «por favor». / Ud. es cortés.
9. Demuestro mucho amor. ; Ud. es cariñoso.
10. Quiero las cosas de otras personas. / Ud. es envidioso.

F.
1. hablarían
2. vendería
3. viviría
4. llamaríamos
5. comerías

G.
1. iría
2. querrías
3. sabrían
4. pondría
5. saldría
6. tendríamos
7. vendrían
8. podría
9. diría
10. haría

H.
1. ¿Estará enferma?
2. Haría el trabajo.
3. Vendrán mañana.
4. Tomaría el tren.
5. ¿Iremos a la playa?
6. Tendrás el dinero.
7. Saldrían para España.
8. ¿Dirá la verdad?
9. ¿Sabrán la diferencia?
10. Podría estudiar.

Preguntas Personales (Sample responses)

1. Los exámenes psicológicos son útiles porque dicen algo de tu personalidad.
2. Un examen psicológico es necesario cuando uno tiene un problema.
3. No diría la verdad para no ofender a alguien.
4. Si soy optimista, creo que el telegrama trae buenas noticias. Si soy pesimista, creo que trae malas noticias.
5. Una persona antipática es una persona triste porque no tiene amigo.

Composición (Sample responses)

1. Un amigo te dice una mentira y tú te das cuenta. ¿Qué dirías?
2. Ves un billete de cien dólares en el suelo. ¿Qué harías?
3. Oyes a un bebé llorando. ¿Qué harías?
4. Vas a un restaurante nuevo. ¿Qué comerías?
5. Vas de compras al centro comercial un día de ventas. ¿Qué comprarías?

Diálogo (Sample responses)

Buenas tardes, Señor. ¿Cómo está Ud.?

Pues, no muy bien. Tengo un problema. ¿Podría hablar con Ud.?

Sí. Estoy pensando en una muchacha y no puedo concentrarme.

No quiero hablar con ellos. Me da pena.

¡Oh, sí! ¡Muchísimas gracias!

Para pensar (Sample answers)

1. Porque creen en las predicciones del futuro.
2. Se basa en la creencia de que los planetas y las estrellas influyen las vidas de los individuos.
3. El zodíaco está dividido en doce constelaciones.
4. Soy generoso(-a) y hablador(-a).
5. Porque buscan respuestas para preguntas existenciales.

Key to *Cuaderno* Exercises

A.

1.	tímido	13.	pesimista
2.	rebelde	14.	paciente
3.	generoso	15.	envidioso
4.	cariñoso	16.	gracioso
5.	tacaño	17.	celoso
6.	antipático	18.	considerado
7.	cortés	19.	mentiroso
8.	amable	20.	trabajador
9.	terco	21.	sincero
10.	egoísta	22.	perezoso
11.	optimista	23.	curioso
12.	travieso	24.	aburrido

B. (Sample responses)

1. tímido: Una vez, tuve que explicar una lección a una estudiante nueva que no conocía.
2. generoso: Cuando mi amigo no tenía dinero para ir al cine, yo le di el dinero.
3. curioso: Vi una caja extraña en la gaveta de mi mamá. Quería ver lo que tenía adentro.
4. perezoso: Tenía que escribir un reporte largo para mi clase de inglés, pero fui a dormir una siesta.
5. celoso: Mi hermana recibió una linda bicicleta para su cumpleaños y yo la quería montar.
6. gracioso: Mi amigo estaba triste. Yo le conté unos chistes.

C. (Sample responses)
1. Llamaría a mi mejor amigo.
   Regalaría una casa a mis padres.
   Compraría un carro deportivo.
2. Buscaría la tarea en mi mochila.
   Pensaría en una buena excusa.
   Hablaría con mi profesora.
3. Escucharía los comentarios de mi amigo.
   Explicaría mi posición a mi amigo.
   Prometería no hacerlo otra vez.
4. Conversaría con mi maestra.
   Revisaría mis apuntes.
   Estudiaría más.
5. Limpiaría la bicicleta.
   Arreglaría los frenos.
   La montaría todos los días.

D. (Sample responses)
1. Podríamos entregar el proyecto el martes.
2. Sí. Tendríamos suficiente tiempo para hacerlo bien.
3. Sí. Sabríamos buscar la información que necesitamos en el libro.

4. No. No querríamos presentar el proyecto al director de la escuela.
5. Sí. Haríamos una presentación oral.
6. Vendríamos a la escuela para organizar la presentación el lunes.
7. Pondríamos fotos y gráficas en el afiche.
8. Diríamos a los otros estudiantes que el trabajo fue difícil.
9. La presentación duraría treinta minutos.
10. ¡Esperaríamos recibir una A+!

E.
1. ¿Adónde irían?
2. Serán las doce.
3. Salieron ayer.
4. ¿Dirá algo?
5. Estaban en el campo.
6. No llaman porque están ocupados.
7. ¿Podremos ir al cine?
8. Mi maestra habló.
9. Cuesta cien dólares.
10. ¿Cuándo saldrían?

Quiz 19

A. Fill in the blank with the conditional tense of the verb in parentheses.

1. Mi madre _____ (salir) a tiempo.

2. Yo _____ (poner) el libro en la mesa.

3. Ellos _____ (poder) llamar a las ocho.

4. Uds. _____ (hablar) por teléfono.

5. Nosotros _____ (ser) buenos amigos.

6. Tú _____ (decir) una mentira.

7. Ella _____ (saber) la verdad.

8. Él _____ (hacer) la tarea.

9. Tú _____ (venir) a mi casa.

10. Yo _____ (tener) que trabajar.

B. Describe how you would respond in the following situations.

1. Tienes que cuidar a un bebé.
2. Tienes que investigar un secreto.
3. Tienes que comprar una bicicleta. La que quieres cuesta demasiado dinero.
4. Tienes que ver algo que tiene tu amigo y tú lo quieres.
5. Tienes que hablar con un amigo que está triste.
6. Tienes que cambiar tus ideas.
7. Tienes que esperar una fila muy larga en la cafetería.
8. Tienes que leer una lectura que es muy larga y no interesante.
9. Tienes que trabajar todo el fin de semana.
10. Tienes que decir algo que no es la verdad.

Key to Quiz 19

A.
1. saldría
2. pondría
3. podrían
4. hablarían
5. seríamos
6. dirías
7. sabría
8. haría
9. vendrías
10. tendría

B.
1. Sería cariñoso/a.
2. Sería curioso/a.
3. Sería tacaño/a.
4. Sería envidioso/a.
5. Sería gracioso/a.
6. Sería terco/a.
7. Sería paciente.
8. Sería aburrido/a.
9. Sería trabajador/a.
10. Sería mentiroso/a.

Lección 20

Optional Oral Exercises

A. Make each noun plural.

1.	el turista	**6.**	el pasajero
2.	la visa	**7.**	el piloto
3.	el pasaporte	**8.**	la azafata
4.	la maleta	**9.**	el maletero
5.	el vuelo	**10.**	el boleto

KEY

1.	los turistas	**6.**	los pasajeros
2.	las visas	**7.**	los pilotos
3.	los pasaportes	**8.**	las azafatas
4.	las maletas	**9.**	los maleteros
5.	los vuelos	**10.**	los boletos

B. Make a past participle from each verb.

1.	apagar	**5.**	cerrar	**9.**	casar(se)
2.	sentar	**6.**	esconder	**10.**	encender
3.	preocupar	**7.**	aburrir		
4.	vestir	**8.**	perder		

KEY

1.	apagado	**6.**	escondido
2.	sentado	**7.**	aburrido
3.	preocupado	**8.**	perdido
4.	vestido	**9.**	casado
5.	cerrado	**10.**	encendido

Key to Actividades

A.
1. El maletero lleva el equipaje de los pasajeros.
2. El piloto vuela el avión.
3. El personal de seguridad examina los documentos y el equipaje.
4. El turista visita países durante las vacaciones .
5. El pasajero viaja en avión, autobús o tren.

B.
1. Una visa es una identificación oficial para entrar a un país.
2. El boleto es un documento necesario para subir a un avión, un tren o un autobús.
3. La maleta es un lugar donde se pone la ropa y otros artículos en un viaje.
4. El barco es un medio de transporte en el mar.
5. La estación es un lugar adonde llegan y de donde salen los autobuses y los trenes.

C.
1. La familia Fuentes espera pasar la aduana.
2. Los miembros de la familia son Mario, Matilde, Minerva y Maruja.
3. El marido ha traído los pasaportes, las visas y los certificados de salud y de vacunación.
4. El aduanero pregunta si la familia tiene algo que declarar.
5. Mario no declara nada.

6. La mujer dice que tienen cosas para su propio uso y algunos regalos en las maletas.
7. Dentro de la maleta verde hay cartones de cigarrillos, botellas de licor y joyas.
8. Maruja puso la maleta en el carro porque pensó que era de ellos.
9. La chica encontró la maleta en el pasillo del hotel.
10. El aduanero va a devolver la maleta al señor González.

Section 2

PAST PARTICIPLE		INFINITIVE
sentado	*seated*	sentar(se)
preocupado	*worried*	preocupar(se)
vestido	*dressed*	vestir(se)
dormido	*asleep*	dormir(se)

INFINITIVE		PAST PARTICIPLE
apagar	*to turn off*	apagado
encender	*to turn on*	encendido
casar(se)	*to marry, get married*	casado
cansar(se)	*to tire, get tired*	cansado
perder	*to lose*	perdido

D. 1. Los muchachos corrieron diez millas y están cansados.
2. María no tiene nada que hacer y está aburrida.
3. Mis padres oyeron malas noticias y están preocupados.
4. Es muy tarde y el bebé está dormido.
5. Es de noche y las luces están encendidas.
6. Es de mañana y la luz está apagada.

E. 1. Julio y Jaime han preparados la ensalada.
2. Yo he encendido el fuego.
3. Uds. han cocinado las hamburguesas.
4. Nora ha buscado dónde comprar sodas.
5. Tú has sacado fotos.
6. Ud. ha decidido dónde hacer el picnic.
7. Mario y yo hemos lavado las frutas.
8. Rosa y Josefina han organizado los juegos.

F. (Sample responses)
1. Sí. He estudiado mucho últimamente.
2. He ido al parque zoológico recientemente.
3. He tenido cinco exámenes este semestre.
4. He salido con mis amigos este mes.
5. He sacado buenas notas este año.

G. 1. No. No han terminado las clases.
2. No. No he estado en el Perú.
3. No. No he montado a caballo alguna vez.
4. No. No he visitado la Casa Blanca.
5. No. No ha llegado la profesora a clase.

H. 1. Sí, lo he buscado.
2. Sí, la ha preparado.
3. Sí, las ha enseñado.
4. Sí, lo han aprendido.
5. Sí, los he escuchado.

I. 1. Mi papá ha leído el periódico.
2. Mi mamá ha puesto la mesa.
3. Mis hermanos han hecho las tareas.
4. Mis hermanas han escrito cartas.
5. Mi gato ha descubierto un ratón.
6. Mi perro ha roto un florero.
7. Mi tía ha vuelto del supermercado.
8. Tú has visto un programa de televisión.

J. (Sample responses)
1. Mi padre ha traído los refrescos.
2. Mis amigos han dicho «¡Feliz cumpleaños!».
3. Mi mamá ha hecho una torta.
4. Mis hermanas han cubierto la torta con chocolate.
5. Tú has escrito las invitaciones.
6. Yo he abierto los regalos.

K.
1. Carlos y yo hemos hecho las maletas.
2. Carlos y yo hemos oído casetes en español.
3. Carlos y yo hemos visto a un cónsul español.
4. Carlos y yo hemos dicho adiós a los amigos.
5. Carlos y yo hemos devuelto libros a la biblioteca.
6. Carlos y yo hemos cambiado dólares por euros.
7. Carlos y yo hemos leído las guías turísticas.
8. Carlos y yo hemos sacado el pasaporte.
9. Carlos y yo hemos pedido la visa.
10. Carlos y yo hemos ido a la agencia de viajes.

L.
1. Roberto y Raúl acaban de correr cinco millas.
2. Tú acabas de limpiar tu cuarto.
3. Uds. acaban de estudiar para un examen difícil.
4. Rosario acaba de trabajar en el jardín.
5. José acaba de lavar el carro.

Preguntas Personales (Sample responses)

1. He viajado a México.
2. Generalmente necesito un pasaporte si voy a salir de los Estados Unidos.
3. Para viajar a Puerto Rico necesito un boleto de avión.
4. Para hacer un viaje a Europa necesito obtener una visa.
5. Prefiero viajar por avión.
6. Los medios de transporte más comunes son el autobús, el tren y el avión. Prefiero el avión porque es más rápido.

Información Personal (Sample responses)

No he visitado a España.
No he aprendido a hablar chino.
No he comprado un carro deportivo.
No he ido al museo de arte moderno.
No he hecho un viaje a Ecuador.

Composición (Sample response)

He ido a México. He pasado dos semanas en Cancún y en Oaxaca. He viajado a Cancún para ir a la playa y descansar. He comprado varios regalos y recuerdos para mi familia y para mis amigos. He dicho todo la verdad . . .

Diálogo (Sample responses)

He estado en Argentina y Uruguay.
He pasado un mes fuera de los Estados Unidos.
He comprado unas camisetas y unas artesanías
   típicas para regalar a mi familia.
No he gastado más de $300.
Aquí los tiene, señor.

Para pensar (Sample responses)

1. Fue llevada a cabo mayormente por frailes
    españoles..
2. El Camino Real es un sendero que cumbre
    una distancia de 600 millas en California.
    Servía para conectar a las varias misiones
    españolas.
3. Todos los años las golondrinas vuelven a la
    misión de San Juan Capistrano.
4. Junípero Serra fue un fraile español. Era una
    persona humilde y sencilla.
5. Los exploradores españoles influyeron la
    cultura de los Estados Unidos. Contribuyeron
    a la cultura y al idioma del país.

Key to *Cuaderno* Exercises

A. 1. boleto   5. azafata   9. visa
    2. equipaje   6. pasaporte   10. despega
    3. maletero   7. horario
    4. aduana   8. aeropuerto

B. Paso 1: Consigo una visa.
    Paso 2: Arreglo mi equipaje.
    Paso 3: Empaco mi pasaporte.
    Paso 4: Voy a la estación para ir al aeropuerto.
    Paso 5: Miro el horario de los vuelos.
    Paso 6: Averiguo la hora del vuelo.
    Paso 7: Compro un boleto.
    Paso 8: Paso por la aduana.

Paso 9: Saludo a la azafata.
Paso 10: El avión despega.

C. 1. Es hombre está sentado y triste.
    2. La mujer está parada y preocupada.
    3. Las muchachas están cansadas y están
        dormidas.
    4. Ellos celebran su aniversario.

D. (Sample responses)
    1. Tú has viajado a África.
    2. Nosotros hemos montado a caballo en la
        playa.
    3. Ella ha hablado con un astronauta.
    4. Marta y yo hemos llamado a un actor
        famoso.
    5. Él ha comprado un autógrafo auténtico.
    6. Yo he tirado una pelota de béisbol muy
        lejos.
    7. Ellos han bebido leche dañada.
    8. Ustedes han escrito una carta al
        presidente.
    9. Carmelo y Consuelo han mandado miles
        de mensajes por correo electrónico.
    10. Tú has tomado una clase de artes
        marciales.

E. Has comido   He decidido   he tomado
    No he tenido.   He decidido   me ha dado
    Has probado   lo has hecho
    Lo he probado   he aprendido

F. 1. Sí. Lo he cubierto.
    2. ¿Ha escrito el ensayo?
    3. Sí. La hemos hecho.
    4. ¿Has puesto la mesa?
    5. ¿Has visto a tu hermana?
    6. No. No ha vuelto.
    7. ¿Han descrito a tu amigo?
    8. Sí. Lo hemos devuelto.
    9. Sí. Lo hemos devuelto.
    10. ¿He roto un vaso?

Quiz 20

A. Answer the following questions using the present perfect tense and direct object pronouns when possible.

1. ¿Has estudiado el español?
2. ¿Has viajado a un país africano?
3. ¿Hemos terminado el proyecto?
4. ¿Han comprado los regalos?
5. ¿Has comido papas fritas?
6. ¿Ha llamado tu mejor amigo?
7. ¿Han cocinado la cena?
8. ¿Hemos hablado de ese tema?
9. ¿He pedido la cuenta?
10. ¿He practicado bastante?

B. Write the past participle of the following verbs:

1. abrir
2. cubrir
3. escribir
4. describir
5. romper
6. volver
7. ver
8. morir
9. hacer
10. decir

Key to Quiz 20

A. (Sample responses)
1. Lo he estudiado.
2. No he viajado a un país africano.
3. No lo hemos terminado.
4. Los han comprado.
5. Las he comido.
6. No ha llamado mi mejor amigo.
7. No la han cocinado.
8. No hemos hablado de ese tema.
9. No la has pedido.
10. Has practicado bastante.

B. Write the past participle of the following verbs:
1. abierto
2. cubierto
3. escrito
4. descubierto
5. roto
6. vuelto
7. visto
8. muerto
9. hecho
10. dicho

Lección 21

Optional Oral Exercises

A. Say what type of environmental problem might be associated with each place.
1. el río
2. el mar
3. la selva / el bosque
4. los animales
5. la tierra

KEY

1. la contaminación del agua
2. la contaminación del mar
3. la deforestación
4. la extinción
5. la contaminación de la tierra

B. Say the subjunctive of each verb according to the subject pronoun in parentheses.
1. vivir (él)
2. hablar (tú)
3. comer (ellos)
4. poner (Ud.)
5. poder (yo)
6. salir (tú)
7. traer (ellas)
8. llamar (nosotros)
9. venir (Ud.)
10. escribir (ella)

KEY

1. viva
2. hables
3. coman
4. ponga
5. pueda
6. salgas
7. traigan
8. llamemos
9. venga
10. escriba

Key to Actividades

A.
1. Un área de selva de casi la mitad del tamaño de Texas es destruida cada año y más de 320 millas cuadradas quemadas o cortadas cada día.
2. Si el nivel de destrucción continúa así, la selva durará cuarenta años.
3. Si la selva desaparece, muchas especies de animales y plantas se perderán.
4. Se produce veinte por ciento del oxígeno del mundo en la selva amazónica.
5. Las plantas de la selva son importantes porque veinticinco por ciento de todos los productos farmacéuticos vienen de las plantas.
6. Además de en la selva, hay destrucción en los ríos, los mares y en el aire.
7. Algunas de las causas de los diferentes tipos de contaminación son las emisiones de los coches y las fábricas.
8. La sobrepoblación contribuye a la erosión de nuestras costas y la contaminación de la tierra con químicos, plásticos y basura.
9. Debemos reciclar para conservar nuestros recursos.
10. Yo puedo reciclar y hablar con los políticos sobre los problemas para proteger al planeta.

B. (Sample responses)
1. Podemos sembrar más árboles y no cortar tanta selva.
2. Podemos proteger los biomas importantes.
3. Podemos reciclar.
4. Podemos viajar juntos y usar transportes públicos.
5. Podemos pasar leyes contra las emisiones de las fábricas.
6. Podemos reforzar que los barcos que transportan petróleo.
7. Podemos insistir que la gente no haga tanto ruido.
8. Podemos organizar mejor las fincas.
9. Podemos usar menos químicos y plásticos.
10. Podemos ahorrar energía y apagar las luces.

C.
1. yo gane
2. ellos salgan
3. Pepe trabaje
4. nosotros hagamos
5. yo tenga
6. ellos reciban
7. María piense
8. ellos pidan
9. yo conozca
10. ellas vean

D.
1. sea
2. sepa
3. demos
4. esté
5. vayas

E.
1. regresen
2. abramos
3. traiga
4. vengan
5. vaya
6. seas
7. den
8. este
9. sepa
10. salgan

F.
1. venga ahora
2. salga mañana
3. la aprendamos
4. tenga un resfriado
5. la traigan
6. sea inteligente
7. vuelvan al país
8. piense en él
9. no estudie
10. la sepamos

Preguntas Personales (Sample responses)

1. Reciclo el papel y el plástico para proteger el ambiente.
2. Puedo apagar las luces para ahorrar electricidad.
3. Para proteger el hábitat de los animales en peligro puedo ayudar a establecer un parque.
4. Para reducir la cantidad de agua que uso, no lavo el carro mucho y me baño por la noche.
5. Para conservar gasolina, camino más o tomo el tren.

Composición (Sample response)

Todo el mundo puede ayudar a conservar la naturaleza de nuestro planeta. Por ejemplo, es necesario apagar las luces cuando no las necesita. Es importante que uno hable con los representantes en el senado y en el congreso. Es posible convencer a los políticos que pasen leyes contra la contaminación. Finalmente, es mejor que todo el mundo recicle.

Diálogo (Sample responses)

Hay mucha contaminación de la tierra y también deforestación.

Se puede reciclar papel y así proteger los árboles.

Nuestro gobierno debe pasar más leyes para proteger la tierra.

Como individuos, podemos ahorrar energía y usar transporte público.

Soy optimista porque a mucha gente joven le importa mucho este tema.

Para pensar (Sample responses)

1. El ecoturismo es un turismo sensitivo al ambiente.
2. Costa Rica ha aumentado sus bosques y parques para conservar su ambiente.
3. El «Hato Piñero» es una hacienda. Es especial porque tiene un refugio de animales.
4. Una ventaja del ecoturismo es la educación que gana uno al viajar a otro país parar aprender algo de su ecología. Un peligro es el riesgo de unas personas explotar este tipo de turismo para ganarse dinero.

B. (Sample responses)
1. Para ayudar con la contaminación del agua, recomiendo el reciclamiento de plásticos porque así los plásticos no quedan en el agua y no hacen daño a los animales.
2. Para ayudar con la contaminación de la tierra, recomiendo el reciclamiento de metales y aluminio porque estos materials dañan la tierra y es preferible tener menos.
3. Para ayudar con la deforestación, recomiendo el reciclamiento de productos de papel porque así no tenemos que cortar tantos árboles.

Key to *Cuaderno* Exercises

A. (Sample responses)

Problema	Solución
la contaminación del agua	*el reciclamiento de plásticos*
la contaminación de la tierra	el reciclamiento de metales y aluminio
la contaminación del aire	limpieza y mantenimiento del ambiente
la deforestación	el reciclamiento de productos de papel
la extinción de las especies de animales	establecimiento de parques y zonas protegidas
la falta de energía	apagar las luces, caminar
las emisiones de los autos	usar métodos de transporte alternativos

4. Para ayudar con las emisiones de los autos, recomiendo usar métodos de transporte alternativos porque así tendremos menos autos en las carreteras.

5. Para ayudar con la falta de energía, recomiendo apagar las luces porque no necesitamos tener las luces prendidas, si no las estamos usando.

C.
1. e. se desaparezcan dentro de unos años.
2. d. no tengan aguas limpias en que nadar.
3. c. se ensucien con químicos.
4. h. se llene de smog.
5. g. sobreviva.
6. a. puedan aguantar tanta polución.
7. j. traten de mejorar el futuro.
8. f. termine.
9. b. se acabe.
10. i. ayude con los problemas.

D.
1. guste
2. lleguen
3. diga
4. hable
5. preste
6. llames
7. venga
8. salga
9. regale
10. hagan

E. sepas   estés   des   vayas   sea

F. (Sample responses)
1. Es cierto que iré a la universidad.
2. Es dudoso que gane la lotería.
3. Es seguro que estudiaré mucho.
4. Es probable que trabaje bastante.
5. Es evidente que aprendo cosas importantes.
6. Es posible que compre un carro nuevo.
7. Es ridículo que me case demasiado temprano.
8. Es necesario que sea inteligente.
9. Es mejor que pida ayuda.
10. Es una lástima que me vaya de la casa.

Quiz 21

A. Write each verb in the subjunctive.

1. Yo quiero que tú me _____ a la fiesta. (invitar)

2. Es preferible que ella _____ con los muchachos. (hablar)

3. Es necesario que Uds. _____ a casa. (venir)

4. Es probable que yo me _____ el año que viene. (ir)

5. Es importante que ellos _____ mucho. (ayudar)

6. Es mejor que tus amigos no _____ tanto. (llamar)

7. Ella quiere que su mamá le _____ algo bonito. (regalar)

8. Es una lástima que Ud. no _____ la situación. (comprender)

9. Es posible que ella no _____ la verdad. (saber)

10. ¿Tú quieres que yo te _____? (mentir)

B. Fill in the blank with a verb in the present tense or the subjunctive.

1. Ella quiere _____ a mis primos. (visitar)

2. La familia quiere que yo _____ con ella. (viajar)

3. Es necesario _____ mucho para sacar buenas notas. (estudiar)

4. Mi profesor quiere que yo _____ mis apuntes. (revisar)

5. Yo espero que tú _____ mis consejos. (escuchar)

Key to Quiz 21

A.						B.		
1.	invites	5.	ayuden	9.	sepa	1.	visitar
2.	hable	6.	llamen	10.	mienta	2.	viaje
3.	vengan	7.	regale			3.	estudiar
4.	vaya	8.	comprenda			4.	revise
						5.	escuches

Repaso V
(Lecciones 19-21)

A.
1. Ella tendría una moto.
2. Él iría al parque de diversiones.
3. Él haría un viaje en avión.
4. Ella comería en restaurantes elegantes.
5. Ella descansaría en la playa.
6. Ellos vivirían en una casa grande.
7. Ella ayudaría a los pobres.
8. Ellos saldrían con sus amigos.

B.
1. ha abierto
2. ha cubierto
3. he escrito
4. hemos hecho
5. has roto
6. he visto
7. ha puesto

C.
1.	vengan	5.	sepan	9.	salgas
2.	llueva	6.	vayamos	10.	estemos
3.	juegues	7.	diga		
4.	trabajen	8.	tengan		

D.

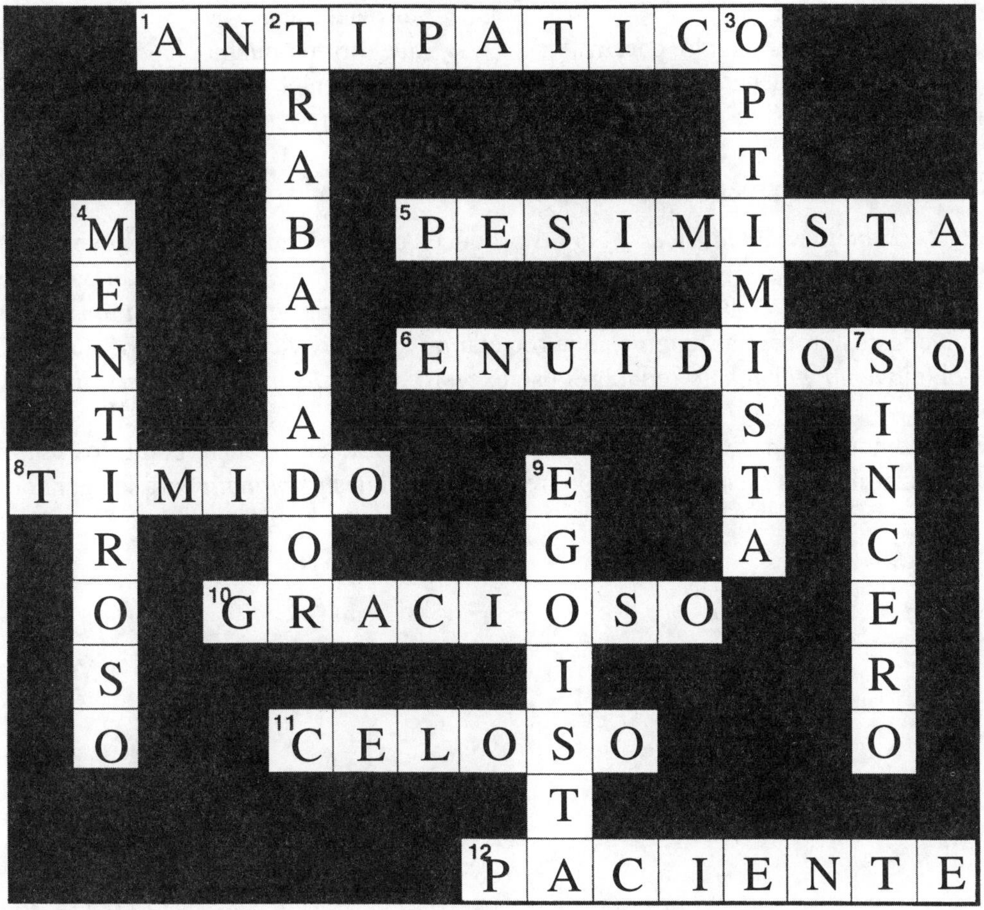

The completed crossword puzzle contains the following answers:

Across:
1. ANTIPATICO
5. PESIMISTA
6. ENUIDIOSO
8. TIMIDO
10. GRACIOSO
11. CELOSO
12. PACIENTE

Down:
2. TRABAJADO
3. OPTIMISTA
4. MENTIROSO
7. SINCERO
9. EGOISTA

E. (Sample responses)

Hay contaminación de la tierra.
Hay que reciclar los plásticos.

Hay contaminación del aire.
Hay que limpiar el ambiente.

Hay contaminación del agua.
Hay que reciclar plásticos.

Hay deforestación.
Hay que reciclar productos de papel.

Hay extinción de las especies de animales.
Hay que establecer parques naturales.

F.
1. En la primera escena, hay fábricas con mucho humo. En la segunda escena, hay fábricas pero no botan humo.
2. En la primera escena, veo un hombre que tira basura en la calle. En la segunda escena, el hombre bota la basura en la cesta de basura.
3. En la primera escena, hay mucha basura en el lote pero en la segunda, el lote está limpio.

4. La fábrica en la primera escena bota agua sucia al río. En la segunda escena, la fábrica bota agua limpia.

5. En las afueras del primer pueblo, cortan los árboles pero no lo hacen en la segunda escena.

6. En la primera escena, hay una planta nuclear. En la segunda, hay una planta hidroeléctrica.

7. En el primer pueblo, hay mucho tráfico, pero no en el segundo.

G. Nuestro *planeta* está en peligro. Estamos destruyendo los *bosques*, los *ríos* y los *océanos*.

Hay mucha contaminación: *fábricas* y *carros* producen *contaminación* y contribuyen a la *lluvia* ácida y a la destrucción del ozono. Cortamos los *árboles* y las *plantas* que se usan para producir medicinas. Además estamos contribuyendo a la eliminación de varias especies de *animales*.

Para resolver estos problemas tenemos que reciclar *papel, latas* y *botellas*. Debemos utilizar la energía del *sol*, el *viento* y el *agua* y reducir el uso excesivo de la *electricidad*, la *gasolina* y el *carbón*.

También debemos caminar y usar los medios de transportación pública, como los *autobuses*, los *trenes;* o utilizar más las *bicicletas*. Así podremos salvar nuestro *planeta* para las generaciones del futuro.

Appendix

Section 3

1. e   **2.** d   **3.** b   **4.** a   **5.** c

Section 4

1. b   **2.** d   **3.** e   **4.** a   **5.** c

Section 5

la mesa (*table*)
la mesera   waitress
el mesero   *waiter*
la mesita   *small table*

enfermo (*sick*)
la enfermera   (*female*) *nurse*
la enfermedad   *illness*

la cocina (*kitchen*)
cocinar   *to cook*
la cocinera   (*female*) *cook*

inviter (*to invite*)
el invitado   (*male*) *guest*
la invitación   *invitation*

escribir (*to write*)
el escritorio   *desk*
el escritor   (*male*) *writer*

Achievement Test I
(Lessons 1–10)

1. Listening Comprehension [5 points]

   Listen to your teacher read twice in succession a situation in Spanish. Then your teacher will pause while you circle the letter of the best suggested answer.

   1. a. Buena suerte
      b. ¿Tiene Ud. mucha hambre?
      c. ¿Tiene tacos de pollo?
      d. Quiero volver a casa.

   2. a. Mire mi reloj.
      b. Meta un dedo en el oído.
      c. Abra la boca.
      d. Cierre los ojos.

   3. a. Un anillo de oro.
      b. Un truco.
      c. Un casco precioso.
      d. Una joyería.

   4. a. Las noticias.
      b. La sección deportiva.
      c. Los anuncios clasificados.
      d. El artículo de fondo.

   5. a. Remar en el lago.
      b. Pescar en el río.
      c. Descansar en el campo.
      d. Nadar en el mar.

2. Vocabulary [10 points]

   ¿Qué es esto? Label the following pictures in Spanish.

   1. 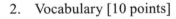 _____

   2. _____

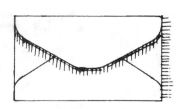

3. _____

4. _____

5. _____

6. _____

7. _____

8. _____

9. _____

10. _____

3. Structures [70 points]

  a. Interrogatives [5 points]

     Write a question for each of the following answers:

     1. Mi profesor de español es el señor Pérez.

     _____

2.   Mi número de teléfono es el 54–3210.

_____

3.   La ciudad de Los Ángeles está en California.

_____

4.   En las vacaciones voy a la playa.

_____

5.   Tengo cinco dólares en el bolsillo.

_____

b.   Stem-changing verbs [5 points]

Complete the following sentences with the correct present-tense form of the verb in parentheses.

1.   (pensar)   ¿Qué _____ Ud. de mi coche nuevo?

2.   (poder)   Yo no _____ ir al cine esta noche.

3.   (cerrar)   Nosotros siempre _____ la puerta por la noche.

4.   (perder)   Yo _____ la paciencia frecuentemente.

5.   (repetir)   Tú siempre _____ lo que yo digo.

c.   Saber and conocer [5 points]

Listen to the cue, then check whether you use Yo sé or Yo conozco to start the sentence:

Yo sé   Yo conozco

1.   _____   _____

2.   _____   _____

3.   _____   _____

4.   _____   _____

5.   _____   _____

d. Shortened adjectives [5 points]

Choose the correct form of the adjective to complete the sentence:
1. Mi (tercer, tercero, tercera) clase del día es inglés.
2. Simón Bolívar y Jorge Washington fueron (grandes, grande, gran) hombres.
3. Mañana es mi (primero, primer, primera) día de clases.
4. El Sr. Gómez es un profesor muy (buen, buena, bueno).
5. Nueva York es una ciudad (gran, grande).

e. Adverbs [5 points]

Write the adverb that best completes the sentence:

1. Ellos no bailan mal; por el contrario, bailan _____.

2. A Josefa no le gusta comer mucho; ella come _____.

3. Los Pérez no viven lejos; ellos viven _____.

4. Ellos nunca llegan temprano; siempre llegan _____.

5. ¿Quieres salir ahora o _____?

f. Negatives [5 points]

Answer the following questions negatively:

1. ¿Viste algún programa de televisión anoche?

2. ¿Quién te llamó esta mañana?

3. ¿Hablas chino o ruso?

4. ¿Qué quieres comer ahora?

5. ¿Cuándo vas a pescar?

g. Commands [5 points]

You are in a large department store with your little brother Carlitos and two of his friends. Complete the following commands with the correct form of the verbs in parantheses.

1. (poner)　　Carlitos, ¡_____ ese juguete en su lugar y

　　　　　　　_____ de ahí!

2. (tener, mirar)　¡_____ Uds. cuidado con la gente y

　　　　　　　_____ por dónde van!

3. (venir, ser)　Carlitos, ¡_____ aquí, no _____, tonto!

4. (ir, correr)   ¡_____ Uds. a mi lado y no _____!

5. (hacer, cerrar)   Carlitos, ¡_____ lo que te digo, y Uds. dos,

_____ ya la boca!

h. Reflexive verbs [10 points]

Describe what you did yesterday:

Por la mañana   **Por la noche**

_____   _____

_____   _____

_____   _____

i.   Preterit and imperfect tenses [20 points]

Complete the following story with the correct form of the preterit or imperfect of the verbs in parenthesis.

Me llamo Susana. Como ayer _____ buen tiempo, mi amiga Dolores y yo
                                          1. (hacer)

_____ a la playa. Yo _____ unos sandwiches en mi bolso y
        2. (ir)   *3.* (poner)

Dolores _____ a comer muy pronto porque _____ hambre. En
            4. (comenzar)   *5.* (tener)

la playa _____ a Carlos. Él _____ con otros amigos, pero él
            6. (ver)   *7.* (estar)

_____ que _____ entrar en el agua con nosotras. Yo no
        8. (decir)   *9.* (querer)

_____ que Carlos _____ tan simpático. Carlos, Dolores y yo
        10. (saber)   *11.* (ser)

_____ en la playa todo el día. Por la noche, nosotros _____
        12. (estar)   *13.* (decidir)

comer en un restaurante que Carlos _____. Dolores _____ so-
                                          14. (conocer)   *15.* (pedir)

lamente una ensalada, pero yo _____ una comida completa. Naturalmente que
                                  16. (pedir)

no _____ terminar de comer todo. Cuando nosotros _____ del
       17. (poder)   *18.* (salir)

restaurante, _____ fuertemente y _____ que cogen un taxi.
                19. (llover)   *20.* (tener)

j. Demonstrative adjectives and pronouns [5 points]

Complete the following sentences in Spanish.

1. (This, that one over there) _____ flor es bonita, pero

    _____ no me gusta.

2. (These, those) Quiero _____ zapatos, no _____.

3. (That one, this one) _____ cuesta diez dólares, _____

    cuesta solamente cinco.

4. (That over there, this one) Juan vive en _____ edificio, yo vivo en

    _____.

5. (Those, those) _____ papas fritas y _____ postres son

    deliciosos.

4. Reading Comprehension [5 points]

Below the following story there are five questions. For each, choose the expression that best
answers the question according to the meaning of the story and circle its letter:

Su bicicleta roja está lista. Pero Joselito Torres, el joven ciclista, no puede dormirse. Es la
noche antes de la gran carrera y Joselito está muy nervioso. Durante una semana entera él va a
hacer todo lo posible por ganar el trofeo y el título de campeón. Comienza a pensar . . . .

El locutor deportivo grita por el micrófono: «Ya llegan los primeros ciclistas. López está a la
cabeza y Torres lo sigue muy de cerca. En tercer lugar viene Riviera. Pero, ¿qué veo? Señores y
señoras, ¡un accidente! López está en el suelo. No puede continuar la carrera. Los otros ciclistas lo
pasan. Ahí están. ¿Quién va a la cabeza? ¡Es Torres! Joselito Torres ganó la carrera. Todo el mundo
grita histéricamente. Su mamá le dan un abrazo. Una chica le da unas flores y después Joselito
recibe el trofeo, ¡el trofeo de campeón! »

Joselito se despierta cuando su mamá le grita: «Joselito, levántate. La competición va a comenzar dentro de dos horas. »

¿Un sueño? Quizás, pero Joselito sabe ahora que va a ganar.

1. ¿Cómo se siente Joselito antes de la carrera?
    a. Seguro de sí mismo.   c. Con sueño.
    b. Lleno de preocupaciones.   d. Sin preocupaciones.

2. ¿Cuánto tiempo dura la carrera?
    a. Siete días.
    b. Cinco días.
    c. Un día entero.
    d. Dos semanas.

3. ¿Qué le pasó a López?
    a. Se cansó.
    b. Se cayó de la bicicleta.
    c. No quiso continuar.
    d. Se paró en el suelo.

4. ¿Qué ganó Torres?
    a. Muchas flores.
    b. Mucho dinero.
    c. El campeonato.
    d. Una bicicleta.

5. ¿Cómo sabe Ud. que Torres non ganó una carrera en realidad?
    a. Su mamá dijo algo.
    b. Su mamá soñó.
    c. Tuvo un accidente.
    d. López llegó el primero.

5. Slot Completion [5 points]

In the following passage, there are five blank spaces numbered 1 through 5. Each blank space represents a missing word. For each blank space, four possible completions are provided. Only one makes sense.

Hoy es el cumpleaños de la señora Campos y su marido quiere darle un regalo muy lujoso. ¿Qué puede comprar? El problema es que él no _____ . ¿_____ puede pedir consejo? Decide hablar
                    (1)   (2)
con su mejor amiga, Josefina. Josefina menciona varias posibili-dades, entre ellas _____ — un collar, un broche o una pulsera.
                        (3)
¡Qué buena idea! El señor Campos va inmediatamente a una joy-ería y compra un magnífico brazalete de oro y diamantes.

_____ regresa a su casa y le dice a su mujer: «_____ el re-
  (4)   (5)
galo que te traje». Cuando ella ve el brazalete, grita: «Eres el mejor marido del mundo. Te adoro».

(1) a. conoce
    b. piensa
    c. sabe
    d. comprende
(2) a. A quién
    b. A qué
    c. Quién
    d. A cuál
(3) a. comida
    b. ropa
    c. joyas
    d. dinero
(4) a. Después
    b. Pronto
    c. Ya
    d. Ahora
(5) a. Mire
    b. Mira
    c. Vea
    d. Ven

6. Visual Stimulus [5 points]

Write five sentences in Spanish to tell a short story about the situation suggested in the picture.

_____

_____

_____

_____

_____

_____

Key to Achievement Test I
(Lessons 1–10)

1. Listening Comprehension
    1. Ud. entra en un restaurante y se sienta a una mesa. Cuando se acerca el mesero, Ud. le dice: (Key: c)
    2. En el hospital un médico examina a uno de los pacientes. Coge el termómetro y dice: (Key: c)
    3. Es el cumpleaños de María. Ahora tiene dieciséis años. De regalo, sus padres le compran (Key: a)
    4. Ud. quiere saber qué equipo de béisbol ganó el juego ayer. Abre el periódico y busca (Key: b)
    5. Durante el verano, todo el mundo va a la playa. Tienen calor y quieren (Key: d)

2. Vocabulary
    1. el río
    2. el sello / la estampilla
    3. la sombrilla
    4. el sobre
    5. el ladrón
    6. el casco
    7. el anillo de diamantes
    8. la isla
    9. el monopatín
    10. el barco (de vela)

3. Structures

    a. Interrogatives
        1. ¿Quién es su profesor de español?
        2. ¿Cuál es su número de teléfono?
        3. ¿Dónde está la ciudad de Los Ángeles?
        4. ¿Adónde va Ud. en las vacaciones?
        5. ¿Cuánto dinero tiene Ud. en el bolsillo?

    b. Stem-changing verbs
        1. piensa
        2. puedo
        3. cerramos
        4. pierdo
        5. repites

    c. **Saber** and **conocer**
        1. los señores Ramos (Key: Yo conozco)
        2. montar a caballo (Key: Yo sé)
        3. dónde vive Jorge (Key: Yo sé)
        4. esa novela (Key: Yo conozco)
        5. España (Key: Yo conozco)

    d. Shortened adjectives
        1. tercera
        2. grandes
        3. primer
        4. bueno
        5. grande

    e. Adverbs
        1. bien
        2. poco
        3. cerca
        4. tarde
        5. más tarde

    f. Negatives
        1. No, no vi ningún programa anoche.
        2. Nadie me llamó esta mañana. / Esta mañana no me llamó nadie.
        3. No hablo ni chino ni ruso.
        4. Ahora no quiero comer nada.
        5. No voy a pescar nunca. / Nunca voy a pescar.

    g. Commands
        1. pon / sal
        2. Tengan / miren
        3. ven / seas
        4. Vayan / corran
        5. haz / cierren

h. Reflexive verbs

Por la mañana

Me desperté a las seis y media.
Me levanté a las siete menos veinte.
Me lavé la cara a las siete menos diez.
Me vestí a las siete menos cinco.
Me peiné a las siete y cuarto.

Por la noche

Me quité la ropa. / Me desvestí.
Me bañé.
Me puse los pijamas.
Me cepillé los dientes.
Me acosté.

i. Preterit and imperfect tenses

1.	hacía	11.	era
2.	fuimos	12.	estuvimos
3.	puse	13.	decidimos
4.	comenzó	14.	conocía
5.	tenía	15.	pidió
6.	vimos	16.	pedí
7.	estaba	17.	pude
8.	dijo	18.	salimos
9.	quería	19.	llovía
10.	sabía	20.	tuvimos

j. Demonstrative adjectives and pronouns
1. esta / aquélla
2. estos / ésos
3. ése (ésa) / éste (ésta)
4. aquel / éste
5. esas / aquellos

4. Reading Comprehension
1. b   3. b   5. a
2. a   4. c

5. Slot Completion
(1) c   (3) c   (5) b
(2) a   (4) a

6. Visual Stimulus
Hay muchos muchachos y muchachas en el cine.
Ven una película de ladrones y policías
La película es muy buena.
Las muchachas gritan cuando los ladrones se escapan.
Al final los policías ganan

Achievement Test II
(Lessons 11–21)

1. Listening Comprehension – Situations [10 points]

   a. Listen to your teacher read twice in succession a situation in Spanish. Then your teacher will pause while you circle the letter of the best suggested answer:

   1. a. Tengo que llevar el chaleco.
      b. Mejor me pongo el impermeable.
      c. Debo ponerme las zapatillas.
      d. Mejor llevo el cinturón.

   2. a. Hacen compras en el supermercado.
      b. Caminan por la Avenida Central.
      c. Toman un taxi para ir al museo.
      d. Esperan frente al semáforo.

   3. a. Este suéter es muy bonito.
      b. ¿Tiene una alfombra roja?
      c. Quiero devolver esta ropa.
      d. Necesito una talla más grande.

   4. a. Algodón y un peine.
      b. Jarabe y pañuelos de papel.
      c. Curitas y una venda.
      d. Papel higiénico.

   5. a. Siéntese en este horno.
      b. Siéntese en esta cómoda.
      c. Siéntese en este sillón.
      d. Siéntese en este estante.

   b. Listen to your teacher read twice in succession a situation in Spanish. Then your teacher will pause while you write an appropriate response to the situation in the spaces provided. Assume that in each situation you are speaking with persons who speak Spanish:

   1. _____

   2. _____

   3. _____

   4. _____

   5. _____

2.   Vocabulary [10 points]

¿Qué es esto? Label the following pictures in Spanish.

1. _____   2. _____

3. _____   4. _____

5. _____   6. _____

7. _____   8. _____

9. _____   10. _____

3.   Structures [60 points]

a.   Cardinal numbers [5 points]

Complete the sentences in Spanish.

1.   Yo tengo (600) _____ estampillas en mi colección.

2.   Los muebles pesan (271) _____ libras.

3.   Puerto Rico tiene (3,000,000) _____ de habitantes.

4.   La entrada vale (51) _____ pesos.

5.   Hay casi (100) _____ muchachos en el baile.

b.   Ordinal numbers [5 points]

Complete the sentences in Spanish.

1.   José vive en el (6º) _____ piso de ese edificio.

2.   Ellos llegaron al (4º) _____ día de viaje.

3.   La tienda queda en la avenida (7º) _____.

4.   Es la (2º) _____ vez que te escribo.

5.   Ése es el (10º) _____ avión que aterriza en una hora.

c.   Spelling-changing verbs [5 points]

Following the clues given, complete the sentences in Spanish with the correct form of the verb in parentheses:

1.   (sacar)   Yo _____ esas fotos el verano pasado.

2.   (pagar)   ¡ _____ Ud. la cuenta inmediatamente!

3.   (empezar)   Yo _____ el trabajo ayer por la mañana.

4.   (recoger)   Yo nunca _____ los platos de la mesa.

5.   (seguir)   ¡ _____ Ud. bien las instrucciones!

d. Comparison of adjectives [10 points]

Choose the following sentences in Spanish:

1. (as big as)   Ella es _____ su hermano.

2. (faster)   Ese tren es _____ éste.

3. (better)   Este libro es _____ el otro.

4. (as interesting)   Este cuadro no es _____ aquél.

5. (worst)   Ese chico es _____ la clase.

6. (less nice)   Yo creo que Jorge es _____ Manual.

7. (older)   Margarita es mi hermana _____.

8. (oldest)   Ese hotel es _____ la cuidad.

9. (smallest)   Maritza es _____ la escuela.

10. (youngest)   Ella es también _____.

e. Future tense [10 points]

What will these people do next summer? Complete the sentences with the correct future tense form of the verbs in parentheses:

1. (visitar) Mis padres _____ España.

2. (hacer)   Nosotros _____ un viaje en barco.

3. (ir)   Yo _____ al la playa todos los días.

4. (estar)   Mi hermana _____ trabajando en una farmacia.

5. (venir)   Mis tíos _____ a mi casa.

6. (tener)   Tú _____ que trabajar.

7. (poder)   Uds. _____ jugar al tenis todos los días.

8. (querer)   Mi primo _____ ver muchas películas.

9. (salir)   Ud. _____ a dar caminatas.

10. (decir)   Nosotros _____ después lo que vamos a hacer.

f. Present perfect tense [10 points]

What have these people done lately? Complete the sentences with the correct present perfect tense form of the verbs in parentheses:

1. (trabajar) Nosotros _____ mucho.

2. (comer)   La niña _____ dos veces en un restaurante.

3. (decir)   Yo _____ unas cuantas mentiras.

4. (hacer)   Uds. _____ reservaciones para un viaje.

5. (abrir)   Ellos _____ un negocio.

6. (escribir) Tú _____ los ejercicios correctamente.

7. (romper)   Yo _____ tres platos nuevos.

8. (ver)   Ud. _____ a sus amigos.

9. (volver)   María _____ a la universidad.

10. (leer)   Nosotras _____ dos novelas en español.

g. Object pronouns [15 points]

Rewrite the following sentences, substituting object pronouns for the words in bold type.

1. El médico examina **al enfermo**.

    _____

2. Ella dea el dinero a **los niños**.

    _____

3. Vivimos cerca de **María**.

    _____

4. Nosotros hacemos **las tareas** todos los días.

    _____

5. Él explíco **la lección a la muchacha**.

    _____

6. Quiero decir **la verdad a mi mamá**.

    _____

7. Sirva un café **a nosotros**.

    _____

8. Ud. vende **juguetes** en la tienda.

    _____

9. Quiero trabajar para **mi padre**.

    _____

10. ¡Abra Ud. **el libro** y lea!

_____

11. Yo doy **el regalo a Pedro**.

_____

12. Voy a escribir una carta **a Luisa**.

_____

13. Venda Ud. **la casa a nosotros**.

_____

14. No vaya sin **mi hermano y yo**.

_____

15. No quiero contar **el secreto a los alumnos**.

_____

4. Slot Completion [5 points]

In the following passage, there are five blank spaces numbered 1 through 5. Each blank space represents a missing word. For each blank space, four possible completions are provided. Only one makes sense:

Acabamos de regresar de un viaje maravilloso. Comenzamos a

divertirnos desde el momento en que subimos al avión. De co-

mida, los aeromozos _____ un arroz con _____ muy
               (1)   (2)

sabroso, al estilo español. El viaje no duró mucho. Cuando

_____ en la isla, el sol brillaba fuertemente y un guía muy sim-
   (3)

pático nos esperaba en el aeropuerto. Él nos _____ al hotel
                                              (4)

donde teníamos las reservaciones, que quedaba en una playa pre-

ciosa. Todos los días nadábamos en el mar, tomábamos el sol,

(1) a. pidieron
     b. comieron
     c. sirvieron
     d. ordenaron
(2) a. caracoles
     b. camarones
     c. claves
     d. culebras
(3) a. bajamos
     b. despegamos
     c. subimos
     d. aterrizamos
(4) a. llegó
     b. llevó
     c. llamó
     d. llenó

montábomas a caballo y jugábamos al tenis o al golf. Todo era

tan bonito y tan agradable, que ahora nos parece que vivimos

_____ fabuloso.
  (5)

(5) a. una pesadilla
     b. un signo
     c. un sueño
     d. un dueño

5. Reading Comprehension [5 points]
    Below the following story there are five questions. For each, choose the expression that best answers the question according to the meaning of the story and circle its letter.
    Es medianoche cuando Luis regresa de la oficina. Al salir del tren, ve que no hay nadie en el andén de la estación. Camina rápidamente por las calles desiertas y solitarias. Quiere llegar a su casa lo más pronto posible porque tiene un poco de miedo.
    Por fin llega. Abre la puerta y entra. No hay nadie en casa tampoco. Sus padres están de vacaciones en la Florida. Su hermano mayor, Raúl, estudia en una universidad en Texas y no vendrá hasta fin de año. Luis está solo. Mira a su alrededor y nota que todo no está en el orden de siempre. Ve en el suelo, roto, un florero que generalmente está sobre una mesita, cerca del sofá.
    Entra en la cocina. En el piso hay un plato y un vaso, ¡rotos también! « ¿Qué pasó aquí?», se pregunta el muchacho. « ¿Habrán entrado ladrones? ¿Estarán aquí todavía?» Luis está ahora realmente nervioso. De repente, oye un ruido que sale del sótano. Parece que hay alguien allí. Sin perder un segundo, Luis corre hacia allá. Enciende la luz y... ¿qué ve? Es su gato, Tigre, que corre por todas partes, tratando de atrapar a un ratón.

1. ¿A qué hora vuelve Luis del trabajo?
    a. a los dos
    b. por la tarde
    c. al mediodía
    d. a las doce

2. ¿Dónde está la familia de Luis?
    a. en el sur
    b. en el oeste
    c. en el colegio
    d. en diferentes lugares

3. ¿Cuántas cosas rotas ve en la casa?
    a. tres
    b. cuatro
    c. dos
    d. una

4. ¿Qué sospecha el muchacho?
    a. Sus padres regresaron.
    b. Su hermano llegó de sorpresa.
    c. Alguien vino a visitarlo.
    d. Alguien quiso robar la casa.

5. ¿Qué descubre al final?
    a. No hay luz.
    b. Un animal causó el desorden.
    c. Unos animales entraron.
    d. Hay ratones por todas partes.

6. Compositions [10 points]

    a. Write a five-sentence note to your parents, persuading them to let you spend a week at a friend's house near the beach. Tell them that you need to rest because you have been studying very hard; that you got good grades last semester; that your friend's parents have invited you; that you will swim in the sea and run on the beach; and that your friend will pick you up and bring you back home.

        _____

        _____

        _____

        _____

        _____

        _____

        _____

        _____

    b. Write five sentences in Spanish to tell a short story about the situation suggested in the picture.

        _____

        _____

        _____

        _____

        _____

        _____

Key to Achievement Test II (Lessons 11–20)

1. Listening Comprehension
   a. 1. Ud. tiene que ir de compras. El cielo está gris y parece que va a llover. Antes de salir, Ud. piensa: (Key: b)
      2. Ud. es mecánico en un garaje y le dice a un cliente: «Si quiere conducir el auto de noche, necesita . . . »: (Key: d)
      3. A Ud. le dieron de regalo para su cumpleaños un suéter que no le gustó. Ud. va a la tienda donde lo compraron y dice: (Key: c)
      4. Ud. es dependiente en una farmacia. Entra una persona que tose y estornuda mucho. Ud. le vende: (Key: b)
      5. El señor Romero llega de visita a su casa. Ud. le dice: «Buenas tardes. Pase y . . . : (Key: c)

   b. (Responses may vary)

      1. Ud. acaba de llegar de un viaje. El aduanero le pregunta: « ¿Qué trae Ud. en ese maletín?» Ud. responde: (Sample Key: Traigo cosas de uso personal y unos regalos.)
      2. Ud. está en una mueblería. Un dependiente le pregunta: « ¿En qué puedo servirle?» Ud. responde: (Sample Key: Quiero comprar unos muebles para la sala de mi casa.)
      3. Se acercan las vacaciones de verano. Su amigo le pregunta: « ¿Qué vas a hacer el mes próximo?» Ud. responde: (Sample Key: Voy a ir a la playa con mis padres.)
      4. Ud. tiene tos y entra en una farmacia. Ud. le dice al dependiente: (Sample Key: Necesito un jarabe para la tos.)

      5. Ud. entra en una tienda de ropa. El vendedor le pregunta: « ¿En qué puedo servirle?» Ud. responde: (Sample Key: ¿Tiene batas de casa?)

2. Vocabulary
   1. la alfombra
   2. la llanta
   3. la estufa
   4. el carnicero para libros
   5. la estrella
   6. la ballena
   7. la ardilla
   8. el bombero
   9. el librero / el estante
   10. los pañuelos de papel

3. Structures

   a. 1. seiscientas
      2. doscientas setenta y una
      3. tres millones
      4. cincuenta y un
      5. cien

   b. 1. sexto
      2. cuarto
      3. séptima
      4. segunda
      5. décimo

   c. 1. saqué
      2. pagué
      3. empecé
      4. recojo
      5. siga

   d. 1. tan grande como
      2. más rápido que
      3. mejor que
      4. tan interesante como
      5. el peor de
      6. menos simpático que
      7. mayor
      8. el más viejo de
      9. la más pequeña de
      10. la menor

   e. 1. visitarán
      2. haremos
      3. iré
      4. estará
      5. vendrán
      6. tendrás
      7. pondrán
      8. querrá
      9. saldrá
      10. diremos

   f. 1. hemos trabajado
      2. ha comido
      3. he dicho
      6. has escrito
      7. he roto
      8. ha visto

4. han hecho   9. ha vuelto
5. han abierto   10. hemos leído

g. 1. El médico lo examina.
    2. Ella les da el dinero.
    3. Vivimos cerca de ella.
    4. Nosotros las hacemos todos los días.
    5. él se la explicó.
    6. Quiero decírsela.
    7. Sírvanos un café.
    8. Ud. los vende en la tienda.
    9. Quiero trabajar en la tienda.
    10. ábralo.

11. Yo se lo doy.
12. Voy a escribirle una carta.
13. Véndanosla.
14. No vaya sin nosotros.
15. No quiero contárselo.

4. Slot Completion
   (1) c   (3) d   (5) c
   (2) b   (4) b

5. Reading Comprension
   1. d   3. a   5. b
   2. d   4. d

6. Compositions (Sample responses)

a. Mamá y papá, ¿me pueden dar permiso de pasar una semana en la playa, en casa de mi amigo Paco?
   Como ya saben, estudié mucho el semestre pasado y saqué muy buenas notas.
   Necesito descansar. Así podré nadar en el mar y correr en la playa todos los días.
   Los padres de Paco me han invitado a pasar unos días en su casa. Paco puede recogerme, llevarme a allí y traerme a casa después.

b. Los López acaban de regresar de sus vacaciones en España. Ellos están ahora en la aduana. El aduanero les pregunta: « ¿Tienen algo que declarar?» El Sr. López contesta: « No señor. Sólo tenemos unos regalos para nuestros amigos.» El aduanero abre una maleta y dice: «Veo que Uds. tienen muchos amigos. ¿Cómo explican Uds. los cartones de cigarrillos y las botellas de vino . . . ? Es obvio que los López cogieron la maleta de otra persona y otra persona cogió la de ellos.

Proficiency Test

1. Speaking
   a. Your teacher will award up to 10 points for your oral performance in the classroom.
   b. Oral Communication Tasks (20 points)
   Your teacher will administer a series of communication tasks. Each task requires at least four utterances on your part, for which you can earn up to 5 points of credit. An utterance is any spoken statement that leads to accomplishing the stated task. Assume that in each situation you are speaking with persons who speak Spanish.
      A. Socializing
      You have a telephone conversation with a friend. Ask your friend what he/she is going to do for the day and then tell what you have planned.
      B. Providing and obtaining information
      You are in a clothing store. The salesclerk comes over to you and begins the conversation by asking you how he/she can help you. Tell why you are there and what you are looking for.
      C. Expressing personal feelings
      You are at home with your parents. Tell them about your classes and your teachers. Talk about your likes and dislikes. You begin the conversation.
      D. Persuading others to adopt a course of action.
      You are talking with your brother or sister. Try to convince him/her to lend you some money to buy a new recording. You begin the conversation.

2. Listening Comprehension
   a. Multiple Choice (English) (20 points)
   Part 2a consists of 10 questions. For each question, you will hear some background information in English. Then you will hear a passage in Spanish *twice*, followed by a question in English. After you have heard the question, look at the question and the four suggested answers in your book. Choose the best suggested answer and write its number in the space provided.

   1. What is wrong with Carlos? _____
      1. He's very cold.
      2. He doesn't want to go to school.
      3. He has no classes tomorrow.
      4. He has a cold or the flu.

   2. What should you do when you hear this announcement? _____
      1. Pick up your baggage at "lost and found."
      2. Go to your departure gate.
      3. Find out about the delay.
      4. Buy your ticket.

3. What will you have to study for the test?
   1. The verb endings.   3. The structures.
   2. The past tense.   4. The vocabulary.

4. Which meal is Tomás eating?
   1. Breakfast.   3. Supper.
   2. Lunch.   4. Afternoon snack.

5. In which season of the year are we?
   1. Spring   3. Fall.
   2. Summer.   4. Winter.

6. Why can't you take the scheduled bus?
   1. None of the buses is running today.   3. There is a problem on the highway.
   2. Your bus has just left.   4. Your ticket is no longer valid.

7. What is your friend's suggestion?
   1. To go to the movies.   3. To go to a concert.
   2. To go to a dance.   4. To go to the beach.

8. Where can these items be bought?
   1. In a restaurant.   3. In a butcher shop.
   2. In a drugstore.   4. In a supermarket

9. What's the good news?
   1. You have been invited to spend your vacation in Spain.
   2. Your friend has received excellent marks this term.
   3. Your friend's father got a job in Madrid.
   4. Your friend might spend the summer in Spain.

10. What does your friend want you to do?
    1. Listen to a certain radio station.   2. Buy her a radio.
    2. Go out and buy a record.   4. Send her the words of a song.

b. Multiple Choice (Spanish) (10 points)
Part 2b consists of 5 questions. For each question, you will hear some background information in English. Then you will hear a passage in Spanish *twice*, followed by a question in Spanish. After you have heard the question, look at the question and the four suggested answers in your book. Choose the best suggested answer and write its number in the space provided.

11. ¿Qué hacen los dos niños?
    1. Nadan alegremente en el mar.   3. Juegan en la playa.
    2. Están jugando a la pelota.   4. Buscan conchas.

12. ¿Adónde van los jóvenes?
    1. Al curso de verano.   3. A las montañas.
    2. A una isla tropical.   4. A España.

13. ¿De qué están hablando estas personas?
    1. De la dificultad de los cursos.   3. De los diferentes tipos de trabajo.
    2. De la necesidad de ganar dinero.   4. Del gran número de universidades.

14. ¿Qué se sabe de este joven?
    1. Es muy guapo.   3. Sabe hablar varios idiomas.
    2. Tiene más de veinte años.   4. Es un joven ambicioso.

15. ¿Qué no le gustaba a Francisca?
    1. El sueldo que le pagan.   3. La gente que no obedece las reglas.
    2. Las condiciones de su trabajo.   4. El lugar donde ella trabaja.

c. Multiple Choice (Visual) (10 points)
Part 2c consists of 5 questions. For each question, you will hear some background information in English. Then you will hear a passage in Spanish *twice*, followed by a question in English. After you have heard the question, look at the question and four pictures in your book. Choose the picture that best answers the question and circle its number.

16. Which picture best describes Paco's occupation?

    1   2   3   4

17. What are some of the things bought by the customer?

    1   2   3   4

18. Where is Lola going?   _____

    1   2   3   4

19. What is being described?   _____

    1   2   3   4

20. What did the policeman do?   _____

    1   2   3   4

3. Reading

    a. Multiple Choice (English) (12 points)
        Part 3a consists of 6 questions in English, each based on a reading selection in Spanish.
        Choose the best answer to each question. Base your choice on the content of the reading
        selection. Write the number of your answer in the space provided.

21. Where does the student responding to this ad study a foreign language? _____

• ALEMÁN
  • ESPAÑOL
    • FRANCÉS
      • INGLÉS

EN SÓLO
8
SEMANAS

Empezamos desde cero (o desde el nivel en que usted se encuentra ahora) y llegamos hasta el nivel universitario. Usted estudia en su propia casa por medio del sistema de instrucción programada, de gran fama mundial.

INFORMACIÓN AL TELÉFONO
• (204) 555-2121 •

Pregunte por la Dra. Linguadora, obien remítanos el cupón de abajo y recibirá mas información sin ningún compromiso.

MULTILANGUAGE INSTITUTE
15 Language Drive, Converse, NJ 08407

Nombre _____
TELÉFONO _____
Dirección _____
Ciudad _____ Estado _____

1. At the university.
2. At home.
3. At the program center.
4. Throughout the world.

22. What kinds of students should go to this school? _____

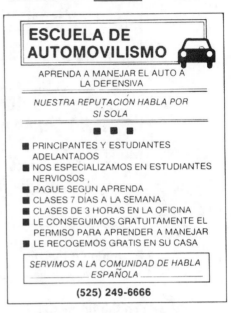

ESCUELA DE AUTOMOVILISMO

APRENDA A MANEJAR EL AUTO A LA DEFENSIVA

NUESTRA REPUTACIÓN HABLA POR SÍ SOLA

■ ■ ■

■ PRINCIPANTES Y ESTUDIANTES ADELANTADOS
■ NOS ESPECIALIZAMOS EN ESTUDIANTES NERVIOSOS ,
■ PAGUE SEGUN APRENDA
■ CLASES 7 DIAS A LA SEMANA
■ CLASES DE 3 HORAS EN LA OFICINA
■ LE CONSEGUIMOS GRATUITAMENTE EL PERMISO PARA APRENDER A MANEJAR
■ LE RECOGEMOS GRATIS EN SU CASA

SERVIMOS A LA COMUNIDAD DE HABLA ESPAÑOLA

(525) 249-6666

1. Those who are not nervous.
2. Those who want to learn self-defense.
3. Professional drivers.
4. Beginning to advanced students.

23. What fees do these lawyers charge?

1. Highest fees for auto accidents.
2. Nothing if the injuries are serious.
3. Nothing if they lose the case.
4. Lower fees if the victim is hospitalized.

24. Who should answer this ad? _____

1. Those who want to lose weight.
2. Those who want to gain weight.
3. Those who need medical supervision.
4. Those who want to go on a summer vacation.

25. What are the plans of the orchestra from Argentina? _____

1. It is going on an international tour.
2. It is leaving the United States.
3. It is taking the place of "Los Heraldos."
4. It will continue as a dance band.

26. What happens to people who come by car to this establishment? _____

1. There is no room for them.
2. They have to pay extra.
3. They have to make their own parking arrangements.
4. They will find ample parking.

b. Multiple choice (Spanish) (8 points)
Part 3b consists of 4 questions in Spanish, each based on a reading selection in Spanish. Choose the best answer to each question. Base your choice on the content of the reading selection. Write the number of your answer in the space provided.

27. ¿Quiénes necesitan los servicios de este doctor? _____

1. Las personas de edad avanzada.
2. Las que tienen enfermedades contagiosas.
3. Las que tienen mucho dolor.
4. Las que necesitan una operación.

28. ¿Qué quiere vender o comprar esta compañía? _____

1. Toda clase de cosas.
2. Cosas en buena condición.
3. Sólo propiedades residenciales.
4. Toda clase de propiedades.

29. ¿Dónde se usan los servicios de Perillón? _____

1. En un aniversario de boda.
2. En el cumpleaños de un niño.
3. En una fiesta de boda.
4. En una celebración patriótica.

30. ¿Dónde empaca esta compañía de mudanzas? _____

1. En Puerto Rico.
2. En la casa del cliente.
3. En la calle..
4. En sus camiones.

4. Writing
    a. Notes (6 points)
        Write 2 notes in Spanish as directed below. Each note must consist of at least 12 words.

        1. You have received a birthday present from a cousin. Write a note in Spanish expressing your thanks.

        _____

        _____

        _____

        _____

        2. You are spending two weeks in Acapulco, Mexico, during your vacation. Write a note in Spanish to a friend telling how you are.

        _____

        _____

        _____

        _____

    b. Lists (4 points)
        Write 2 lists in Spanish as directed below. Each list must contain 4 items. One-word items must not be proper names.

        1. Your class is planning a party. In Spanish, list 4 things you might want to bring to the party.

        _____

        _____

        _____

        _____

2. You need clothing for the new school year. In Spanish, list 4 articles of clothing you could buy.

_____

_____

_____

_____

Key to the Proficiency Test

1. Speaking
   a. Informal Classroom Evaluation
      Scores are based on students' performance in daily classroom activities during assessment periods, during which students have frequent opportunities to engage in realistic oral communication.

      Criteria are frequency and consistency of student expressions consistent with the proficiency levels to be attained.

      Suggested scores for frequency / consistency:

All the time	10
Most of the time	7 – 9
Half of the time	4 – 6
Seldom	1 – 3
Never	0

   b. Oral Communication Tasks

      Up to 5 credits may be given for each task according to the following criteria:

      One credit for each of the four student utterances that is *comprehensive* and *appropriate*.

      One credit for the quality of all four comprehensible and appropriate student utterances.

      No credit is given if the purpose of the task has not been achieved. No credit is given for Yes-No utterances or repetitions.

      (Sample Sequences: The teacher is the conversation partner for all tasks.)

      A. Socializing
      STUDENT: Oye, Paco. ¿Qué vas a hacer hoy?
      TEACHER: No tengo ningún plan.
      STUDENT: ¿Quieres ir al cine conmigo?
      TEACHER: ¿No sé. Cómo se llama la película?
      STUDENT: Es una película de ciencia ficción: «El ataque de los lobos del espacio».
      TEACHER: ¿A qué hora comienza la película?
      STUDENT: Puedo recogerte a las siete y media.

      B. Providing and obtaining information
      TEACHER: Buenos días. En qué puedo servirle?
      STUDENT: Necesito un traje nuevo para ir a una fiesta.
      TEACHER: ¿Qué tipo de traje quiere Ud.?
      STUDENT: Quiero un traje negro o azul oscuro.
      TEACHER: ¿Quiere Ud. algo más?
      STUDENT: También quiero una camisa blanca y una corbata a rayas.

TEACHER: ¿Necesita Ud. calcetines?
STUDENT: No gracias. Tengo suficientes pares en casa.

C. Expressing personal feelings
STUDENT: Este semestre todo va muy bien en la escuela.
TEACHER: ¿Cuántas clases tienes?
STUDENT: Tengo cinco clases: español, inglés, estudios sociales, química y álgebra.
TEACHER: ¿Quién es tu profesor de español?
STUDENT: Es el señor Quiles. Es práctico.
TEACHER: ¿Qué hacen los alumnos en la clase de español?
STUDENT: Es una clase de conversación. Aprendemos a hablar.

D. Persuading others to adopt a course of action
STUDENT: Mira, Pepita, «Los Diablos» tienen un disco de rock que es fantástico.
TEACHER: ¿Vas a comprarlo?
STUDENT: No recibo dinero hasta el fin de semana y quiero comprarlo hoy.
TEACHER: Entonces cómpralo el fin de semana.
STUDENT: Si no voy a la discoteca ahora mismo, van a venderlos todos.
TEACHER: ¿Cómo puedo ayudarte?
STUDENT: Préstame tres pesos y te los pagaré este viernes.

2. Listening Comprehension
   a. Multiple Choice (English)
   Procedure: Instruct students to read the directions for Part 2a. After students have read and understood the directions, proceed as follows.

   To begin, say, "In Part 2a, you will have to answer 10 questions. Each question is based on a short passage that I will read to you. Listen carefully. Before each passage, I will give you some background information in English. Then I will read the passage in Spanish *twice*. After you have heard the passage for second time, I will read the question in English. This question also appears in your test.

   "After you have heard the question, you will have one minute before I go to the next question. During that time, look at the question and four suggested answers in your book. Choose the best answer and write its number in the space provided. Do not read the question and answers or take notes while listening to the passage. I will now begin."

   Administer each item in Part 2a, numbered 1 to 10, as follows: First, read the setting in English *once*, then the listening-comprehension passage in Spanish twice in succession. Make every effort to read the passage in the way students would hear it in an authentic setting. Then read the question in English *once*. Pause for no more than one minute before proceeding to the next item.

   1. You overhear your friend Carlos speaking to your teacher. He says:

   No me siento bien. No puedo respirar. Estornudo constantemente. Tengo mucho calor. Creo que tengo una fiebre alta. No sé si podré ir a clases mañana.

   What is wrong with Carlos? (Key: 4)

2. You have been waiting at the airport to catch a plane. You hear the following over the loudspeaker.

Atención. El vuelo número 35 de Aeroméxico, con destino a Veracruz, saldrá a las tres y treinta de la tarde. Los pasajeros deberán abordar el avión por la puerta número cinco.

What should you do when you hear this announcement? (Key 2)

3. At the end of the class period, you hear your teacher say:

Uds. saben que hay un examen mañana. No es un examen de gramática. Tienen que estudiar todas las palabras y expresiones de los cuentos que hemos leído.

What will you have to study for the test? (Key 4)

4. Your friend Tomás and you are in a restaurant. You hear Tomás ordering:

Primero deseo un vaso de jugo de naranja. Después me trae dos huevos fritos, tostadas con mantequilla y una taza de café.

Which meal is Tomás eating? (Key: 1)

5. You hear the following weather report on the radio:

La temperatura está bajando rápidamente. Hace mucho frío. Esta noche va a nevar. No use su automóvil si no es necesario.

In what season of the year are we? (Key: 4)

6. You are at a bus station in Mexico City. You want to buy a ticket to Acapulco. The ticket agent tells you the following:

Lo siento mucho, pero los autobuses que van a Acapulco no están saliendo a tiempo hoy. Hubo un accidente en la carretera y los autobuses están tomando otra ruta. El próximo autobús saldrá a las tres de la tarde. Ud. puede esperar aquí en la estación.

Why can't you take the scheduled bus?

7. You have just arrived in Santo Domingo. It's Saturday night. Your friend calls you at the hotel and says:

Tengo una idea. Esta noche, en el Teatro Atlántico, dan una película fantástica: «El amor del verano». La famosa actriz Maria Cristina canta y baila en la película. Todo el mundo va a ir. ¿Qué te parece? ¿Vamos juntos?

What is your friend's suggestion (Key: 1)

8. Your cousin's family in Puerto Rico is making preparations for a picnic at Luquillo Beach. Carmen says:

Vamos a necesitar muchas cosas. Primero tenemos que comprar platos de papel, cucharas, tenedores y cuchillos plásticos. Necesitamos también pan, jamón y queso para hacer sándwiches. Finalmente, hay que comprar refrescos, dulces y frutas.

Where can these items be bought? (Key: 4)

9. You are walking with a group of friends. One of them says:

Traigo buenas noticias. Mi padre dice que si saco buenas notas este semestre, vamos a pasar las vacaciones de verano en España. Vamos a viajar por todo el país y visitar los lugares de interés de las grandes ciudades como Madrid, Barcelona y Valencia. ¡Estoy tan contento!

What's the good news? (Key: 4)

10. Your telephone rings. You pick up the receiver and hear your Costa Rican pen pal's excited voice:

Estaba escuchando la radio y oí una nueva canción de los Estados Unidos. Me gusta mucho y quiero comprar el disco. No sé el título de la canción, ni el nombre del grupo que la canta, pero dijeron en la radio que era el éxito número 1 en tu país. ¿Puedes comprarme ese disco?

What does your friend want you to do? (Key: 2)

b. Multiple Choice (Spanish)
Procedure: Instruct students to read the directions for Part 2b. After students have read and understood the directions, say:

"In Part 2b, you will have to answer 5 questions. Part 2b is like Part 2a, except that the questions and answers will be in Spanish. I will now begin."

Administer Part 2b in the same manner as Part 2a.

11. You are on vacation in Mexico and overhear two mothers talking. One of them says:

Estoy tranquila. Pepe y Jorge están lejos del agua. Están jugando alegremente en la arena.

¿Qué hacen los niños? (Key: 3)

12. Your friends María and Pablo are making plans for the summer. María says:

¡Pablo, estoy tan contenta! Mañana es el último día de clases. La semana próxima estaremos en las playas de Puerto Rico.

¿Adónde van los jóvenes? (Key: 2)

13. You overhear two high-school seniors discuss their future:

¿Mario, a qué universidad piensas ir? ¿Tienes bastante dinero para vivir fuera de casa?

No sé, Enrique. Tengo poco dinero. Tendré que trabajar para pagar parte del costo de mis estudios.

¿De qué hablan estos jóvenes?

14. The *Club Español* in your school is having a social gathering. You overhear a member say:

Este año voy a graduarme en la escuela secundaria. Yo sé hablar inglés y español muy bien, pero me gustan más las ciencias. Quiero estudiar en la Facultad de Medicina y hacerme un médico famoso.

¿Qué se sabe de este joven? (Key: 4)

15. Francisca describes her new job:

En realidad, el trabajo no es malo. Me pagan un buen sueldo, pero hay muchos fumadores aquí y eso no me gusta. Las reglas dicen que fumar en el trabajo está prohibido estrictamente.

¿Qué no le gusta a Francisca de su trabajo?

c.   Multiple Choice (Visual)
Procedure: Instruct students to read the directions for Part 2c. After students have read and understood the directions, say:
      "In Part 2c, you will have to answer 5 questions. Part 2c is like Parts 2a and 2b, except that the questions are in English and the answers are pictures. Choose the picture that best answers the questions and circle its number. I will now begin."

Administer Part 2c in the same manner as Parts 2a and 2b.

16. Your friend Paco describes his work to you:

Mi trabjo no es fácil, pero es muy interesante. Cuando un auto no funciona, tengo que encontrar la causa del problema y hacer las reparaciones necesarias.

Which picture best describes Paco's occupation? (Key: 3)

17. You are in a department store in Buenos Aires. The clerk says to the customer standing in front of you:

¿Eso es todo? Bueno, la camisa cuesta diez australes, los calcetines, dos cincuenta y la corbata, cinco. Puede pagar con su tarjeta de crédito, si quiere.

What are some of the things bought by the customer? (Key: 2)

18. Your classmate Lola is talking about what she has to do:

No tengo otra alternativa. Tengo que estudiar durante todo el día si quiero aprobar el examen de matemática. Voy a la biblioteca, donde no hay ruido.

Where is Lola going? (Key: 2)

19. Your friend describes one of his favorite places:

Siempre vengo aquí. Los precios son razonables y el servicio es excelente. Pero lo más importante es que hay una gran variedad de platos.

What is being described? (Key: 3)

20. The anchorperson is reporting the following on the evening newscast:

Esta tarde dos hombres armados entraron en la Joyería Sánchez. Robaron más de diez mil dólares de la tienda. Afortunadamente un policía vio a los ladrones en la calle y los arrestó inmediatamente.

What did the policeman do? (Key: 2)

3. Reading
   Key:

21.	2	**26.**	4
22.	4	**27.**	3
23.	3	**28.**	4
24.	1	**29.**	2
25.	2	**30.**	2

4. Writing
   a. Rate each note as follows:
   Read the entire note to determine whether its purpose has been achieved.
   If the purpose has been achieved and the note consists of at least twelve comprehensible words (not including salutation and closing), give two credits.
   If the purpose has not been achieved (regardless of the number of words used), give no credit.
   (Sample responses)

   1. Querido primo Juan:

   Muchísimas gracias por el radio que me regalaste el día de mi cumpleaños. Es algo que yo siempre quería.

   2. Manuel, ¿qué tal te trata el frío del norte? Yo estoy en la playa tostándome y pasando un buen rato.

b. Rate each list by awarding ½ credit for each comprehensible and appropriate item on the list. Place a checkmark (✓) next to items that are incomprehensible and/or inappropriate and, therefore, receive no credit.
    (Sample responses)

1. los refrescos

    una torta

    una piñata

    el helado

2. un par de zapatos

    otras dos camisas

    ropa interior

    una chaqueta